KB096315

쉽게 배워 바로 쓰는

AI 사회복지 글쓰기

전안나

BOOKK

쉽게 배워 바로 쓰는, AI 사회복지 글쓰기

지은이 전안나

발 행 2024년 6월 1일
펴낸이 한건희
펴낸곳 주식회사 부크크
출판사등록 2014.07.15.(제2014-16호)
주 소 서울특별시 금천구 가산디지털1로 119 SK트윈타워 A동 305호
전 화 1670-8316
이메일 info@bookk.co.kr

ISBN 979-11-410-8675-6

www.bookk.co.kr

쉽게 배워 바로 쓰는

AI 사회복지 글쓰기

전안나

BOOKK

차례

3부. 사업·프로그램 프롬프트 (2)

4부. 사업계획서·프로포절 프롬프트

5부. 기본 업무 프롬프트

6부. 행사·사회 업무 프롬프트

7부. 리더 업무 프롬프트

8부. 업무에 도움되는 다양한 AI

9부. AI와 미래 사회복지

▶ 프롤로그

안녕하세요? 전안나 작가 사회복지사입니다. 20여 년간 사회복지사로 일하며, 『쉽게 배워 바로 쓰는 사회복지 글쓰기』 『나, 브랜드 사회복지사』등 10여권의 책을 집필하였습니다. 책을 기반으로 전국의 사회복지사를 만나 업무용 글쓰기와 책쓰기 강의를 하며 프리랜서 사회복지사, 작가, 강사, 대학 외래 교수로 활동하고 있습니다.

사회복지사는 업무 시간 중에 글을 쓰는 시간이 많습니다. 클라이언트를 직접 만나는 시간보다 글 쓰는 시간이 더 많아 보이기도 합니다. 글쓰기는 숙련이 필요한 작업이지만, 챗 GPT와 같은 생성형 AI를 활용하면 글쓰기 업무에 도움을 받을 수 있습니다. 현재 사회복지 현장에서는 생성형 AI에 2가지 상반된 태도를 보입니다. 기존 사회복지사들은 생성형 AI에 대해 잘 모르거나, 몇 번 써봤는데 원하던 결과가 안 나와서 사용을 안 하는 분들이 있습니다. 그런데 현재 대학을 다니는 예비 사회복지사나, 신입 사회복지사는 이미 생성형 AI를 많이 사용하고 있습니다. 신입 사회복지사가 생성형 AI로 작성한 사업계획서를 별도의 검토나 수정 없이 그대로 제출했다가 이상함을 느낀 리더에게 발각되어 혼나는 경우도 있고, 반대로 생성형 AI로 작성한 문서인지 모르고 리더들이 결재하는 일도 있습니다. 사회복지 현장에서는 생성형 AI를 기피할 필요도, 너무 의존할 필요도 없습니다. 컴퓨터나 스마트폰처럼 업무 생산성을 높이는데 도움을 줄 수 있는 도구로 잘 활용해야 합니다.

생성형 AI는 작성자의 질문에 따라 답변이 달라지기 때문에 여러분의 전문성에 따라 활용 정도가 달라집니다. 다양한 클라이언트의 욕구를 잘 알고, 새로운 사회 문제를 잘 인식하는 사회복지사, 업무용 글쓰기를 해 본 경험이 많은 사회복지사에게는 생성형 AI는 더욱 활용도가 높을 것입니다. 그러나 생성형 AI는 사회복지사가 하는 사회복지 글쓰기를 완벽하게 구현하지 못합니다. 생성형 AI는 작성 단계부터 마지막 수정 단계까지 사람의 손길이 필수입니다. 생성형 AI는 사회복지사를 대체할 수 없습니다.

이 책은 생성형 AI가 낯선 초보자용으로 기획하였습니다. 모든 예시는 무료이면서 스마트폰에서 쉽게 사용해 볼 수 있는 생성형 AI를 활용하였습니다. 책을 읽으면서 바로 실습 해 볼 수 있도록 프롬프트와 함께 생성형 AI의 답변도 보여드립니다. 또 생성형 AI가 써 준 답변을 사람이 어떻게 수정해야 하는지 퇴고 방법도 함께 수록하였습니다.

다양한 예시를 활용하여 생성형 AI를 효과적으로 활용하는 노하우를 개발하여, 사회복지사들이 업무용 글쓰기에 소요되는 시간과 스트레스가 줄어들기를 기대합니다. 행정이나 회의 등 간접 업무보다 클라이언트를 전문적으로 돕는 직접 업무에 더 많은 시간과 에너지를 쏟도록 돕는 책이 되길 기대합니다.

2024년 6월

전안나 작가 사회복지사

1부. 생성형 AI 이해

1부에서는 생성형 AI가 무엇이고,
현재 한국에서 사람들이 많이 사용하는
생성형 AI가 무엇인지, 많이 사용되는 전문 용어와
작동 원리가 무엇인지 알아보겠습니다.

1-1. 생성형 AI가 무엇인가요?

생성형 AI는 사람과 자연스러운 대화를 나눌 수 있는 인공 지능입니다. 문자나 메신저로 사람과 소통하듯이 기계와 소통할 수 있는 프로그램입니다. 여러분이 가장 많이 들은 단어로는 '챗 GPT'로 처음 알게 되었을 것입니다. "생성형 AI가 무엇인지 쉽게 설명해 줘"라고 생성형 AI에 직접 물어보았습니다.

프롬프트	생성형 AI가 무엇인지 쉽게 설명해 줘

생성형 AI의 답변을 살펴볼까요?

"생성형 AI란 인공 지능이 새로운 콘텐츠나 데이터를 스스로 만들어 내는 기술을 말해요. 예를 들면, 텍스트를 바탕으로 그림을 그리거나, 음악을 작곡하고, 시나 소설을 쓰는 것처럼 창의적인 작업을 할 수 있어요. 이런 AI는 학습한 데이터를 기반으로 패턴을 이해하고, 그 패턴을 사용해서 전에 없던 새롭고 독창적인 결과물을 만들죠. 예를 들어, 주어진 단어나 문장으로 새로운 이야기를 쓰거나, 그림을 그리는 것이죠. 이 AI는 다양한 정보를 학습해서, 그 정보를 바탕으로 전에 없던 독특한 내용이나 이미지를 창조해 낼 수 있어요. 꽤 신기하죠?"
라고 설명하네요.

생성형 AI 답변	생성형 AI란 인공지능이 새로운 콘텐츠나 데이터를 스스로 만들어 내는 기술을 말해요. 예를 들면, 텍스트를 바탕으로 그림을 그리거나, 음악을 작곡하고, 시나 소설을 쓰는 것처럼 창의적인 작업을 할 수 있어요. 이런 AI는 학습한 데이터를 기반으로 패턴을 이해하고, 그 패턴을 사용해서 전에 없던 새롭고 독창적인 결과물을 만들죠. 예를 들어, 주어진 단어나 문장으로 새로운 이야기를 쓰거나, 그림을 그리는 것이죠. 이 AI는 다양한 정보를 학습해서, 그 정보를 바탕으로 전에 없던 독특한 내용이나 이미지를 창조해 낼 수 있어요. 꽤 신기하죠?

생성형 AI의 작동 원리를 구체적으로 살펴보면 "생성형 AI는 사전 학습한 내용을 바탕으로, 사용자 질문에 반응하여, 가장 확률이 높은 답변을, 자연어로 제공해 주는 인공 지능"입니다. 이를 좀 더 풀어서 설명하겠습니다.

1. 사전 학습

우리가 가장 많이 들어본 챗 GPT는 일반 대중에게 공개되기 전 3.7조의 비용을 투자하여 3,000억 개의 단어와 5조 개의 문서가 사전 학습되었다고 하는데요, 처음 공개될 때 챗 GPT-3.5는 2021년 9월까지 정보가 학습되어 있고, 챗 GPT-4는 현재 2023년 10월까지 학습이 되어 있습니다. 사전 학습을 했다는 것은 해당 기한 전까지 인터넷 상의 수많은 정보를 학습 했다는 말이면서, 그 이후는 아직 학습을 못했고, 실시간 학습이 아니라는 뜻입니다.

2. 사용자 질문에 반응

생성형 AI는 사전 학습한 내용을 바탕으로 사용자의 질문에 답변을 하는데요, 사용자 질문에 반응하기 때문에 어떤 상황에서 하는 질문인지와 어떤 형식으로 답변을 해야 하는지 알려주는 정보에 따라 답변이 달라집니다. 사용자의 질문이 구체적이고 자세하면 답변도 구체적이고 자세하게 답변을 하지만, 정확하게 질문하지 않으면 답변도 정확하지 않다는 특징이 있습니다. 생성형 AI에 물어보는 질문을 '프롬프트'라고 부르는데요, 이런 프롬프트 질문의 질에 따라 답변이 달라지기에 프롬프트를 잘 사용하기 위해 내 생각을 조리 있게 입력하는 글쓰기가 중요하고, 또 좋은 질문을 만들어 낼 수 있는 작성자의 사고력도 중요합니다.

3. 가장 확률이 높은 답변

챗 GPT는 2017년 구글에서 만든 어텐션 모델을 기반으로 하는데요, 주어진 문장을 보고 다음 문장에 무엇이 올지 예측하는 시스템으로 정답이 입력되어 있는 것이 아니라 실시간으로 확률이 높은 단어를 한 단어씩 송출하는 구조입니다. 가장 확률이 높은 답변으로 대답한다는 점에서 나타나는 특성은 같은 사람이 같은 질문을 입력해도 매 회기 다른 답변을 하고, 반대로 서로 다른 사람이 같은 질문을 입력해도 매 회기 다른 답변을 합니다. 사람으로 치면 "찍어서 대답을 한다."라고 볼 수 있는데요, 확률로 대답하기 때문에 숫자나 역사 등 정확히 정답이 있는 질문에는 취약합니다. 아주 간단한 곱셈이나 더하기 문제 혹은 정확히 답변을 해야 하는 역사 문제를 생성형 AI에 물어보면 바르게 정답을 말할 때도 있지만, 엉뚱한 대답을 하기도 합니다. 반대로 확률로 답변을 해서 좋은 점은 여러 번 같은 질문을 하거나, 답변을 여러 번 요청하는 것이 다양한 답안을 획득 하는 방법이 될 수 있다는 점입니다.

4. 자연어로 제공

얼마 전까지 '코딩' 열풍이 불었는데요, 코딩은 기계와 대화를 하기 위한 기계어를 말합니다. 기계어는 컴퓨터가 직접 이해하고 실행할 수 있는 0과 1의 이진 형태의 명령어로 표현된 프로그래밍 언어입니다. 일반적으로 기계어는 사람이 직접 작성하기 어렵고 이해하기 어렵기 때문에 고급 프로그래밍 언어인 C 언어, C++, 자바스크립트 등 코딩 기술이 중요했습니다. 그런데 생성형 AI는 기계어가 아니라 사람이 쓰는 말로 기계와 대화를 하는 '자연어'로 처리됩니다. 이러한 기술은 우리가 코딩을 몰라도, 파이썬이나 C++ 같은 기계어를 몰라도 인공 기능과 자연스러운 대화를 가능하게 합니다. 사람에게 물어보듯이 질문을 적으면 사람이 말하듯이 대답 하는 것입니다.

1-2. 생성형 AI는 언제 사용하나요?

생성형 AI의 사용 용도는 다양합니다. 사회복지사들이 업무에 사용 가능한 용도는 크게 검색용, 글 초안 작성용, 한국어·외국어 자료를 요약·정리·번역 할 때, 노래 만들기·그림 그리기·PPT제작·영상 제작, 그 외 기타로 나누어 볼 수 있습니다.

1. 검색용

네이버나 구글 등 검색 엔진에 검색하고 싶은 질문이 있다면 생성형 AI를 사용해 보세요. 내가 잘 아는 분야보다는 전혀 모르는 분야의 지식, 정보를 찾고 싶을 때 사용합니다. 새로운 아이디어나 기획이 필요할 때 브레인스토밍 대신 사용하면 아이디어를 쉽게 발굴 할 수 있습니다. 혼자 고민했던 부분이나, 오랜 시간 회의가 필요했던 아이디어를 생성형 AI에 물어보면 창의적인 아이디어는 아니지만 무난한 기본 아이디어를 제시합니다.

2. 글 초안 작성용

빈 양식에서부터 글쓰기 시작하면 첫 문장을 어떻게 써야 할지, 구성을 어떻게 해야 할지 고민이 되는데요, 본격적으로 글을 쓰기 전에 글 초안을 작성하거나 목차를 구성하는 용도로 생성형 AI를 사용해 보세요. 생성형 AI는 3행시 짓기, 시 쓰기, 소설 쓰기, 인스타그램, 블로그, 페이스북 등 일상 글쓰기가 가능합니다. 또 업무용 글쓰기도 가능한데요, 표창장, 이메일, 사업 계획서, 평가서, 소식지, 보도자료, 만족도 조사지 구성, 행사 사회자 카드 등 다양한 업무용 글쓰기 초안도 적을 수 있습니다. 물론 AI가 잘하는 글쓰기 형식이 있고, 못하는 글쓰기 형식이 있습니다. 생성형 AI가 잘하는 글쓰기와 못하는 글쓰기는 무엇이 있을까요?

생성형 AI가 잘하는 글쓰기

생성형 AI는 인터넷에 있는 기존 자료에 대한 학습이 되어 있습니다. 기존 자료와 단순 정보로 글과 이미지를 조합하여 설명하고 오류를 검증하고 수정하는 글쓰기를 잘합니다. 사회복지사가 작성하는 업무용 글쓰기 중 일반 국민이 이해하기 쉽도록 쉬운 용어로 구어체로 작성하는 안내문, 신청서, 보도자료, 소식지, 뉴스레터, 홍보물, 카드뉴스, 가정통신문, SNS 글쓰기 등을 잘 작성합니다. 복잡하고 긴 글을 요약하는 업무를 잘합니다. 단순히 소리나는 대로 타이핑하는 녹취록 글쓰기 잘합니다. 이런 업무에서는 생성형 AI를 적극 활용하기를 추천합니다.

생성형 AI가 잘 못하는 글쓰기

생성형 AI가 못하는 것은 무엇이 있을까요? 복잡하고 긴 글을 요약은 잘하지만, 중요한 내용과 사소한 내용을 구분하여 작성하는 발췌는 잘 못합니다. 단순히 소리나는 대로 적어내는 녹취록 글쓰기는 잘하지만 말하는 사람의 뉘앙스나 비언어적인 태도를 파악하여 글에 녹여내는 것을 못합니다. 생성형 AI는 비판적 사고를 통한 창의적인 조합을 못하고, 새로운 프로그램 기획을 못하고, 새로운 스타일의 글쓰기를 못합니다. 사회복지사가 작성하는 업무용 글쓰기 중 사회복지 전문 용어를 넣어서 문어체로 작성하는 사업계획서, 사례관리 개입계획, 상담일지, 인테이크지, 평가서, 재위탁서류, 윤리기반 인권적인 글쓰기, 사회복지 전문 용어 글쓰기는 잘못합니다. 이런 글쓰기는 생성형 AI를 사용해도 여러분의 수정이 많이 필요합니다.

3. 한국어·외국어 자료를 요약·정리·번역 할 때

사람이 하나 하나 읽기에 복잡하고 분량이 많은 문서를 한꺼번에 정리, 요약 하고 싶을 때 사용합니다. 회의록 정리나 상담 녹취록 정리처럼 단순 반복 작업에 소요 되는 시간을 줄일 수 있습니다. 외국어로 된 자료를 빠르게 한국어로 번역 하면서 동시에 요약하고 싶을 때 사용합니다. 홈페이지나 유튜브 영상, 몇 백장의 PDF파일을 다 살펴보지 않아도 빠른 시간 안에 요약 할 수 있습니다. 내가 대충 쓴 초안 글을 가독성 좋게 다듬고 싶거나, 글을 늘리거나 줄이고 싶을 때 사용합니다. 맞춤법과 오탈자 점검을 할 때도 사용할수 있습니다.

4. 노래 만들기·그림 그리기·PPT제작·영상 제작

몇몇 AI는 글자를 입력하면 해당 내용을 바탕으로 작사, 작곡을 해주고 하고, 실제 음원 파일로 노래로 만들어 줍니다. 글자를 입력하면 해당 내용으로 PPT를 바로 만들 수 있고, 글자 내용을 바탕으로 AI 목소리가 더빙되는 영상을 바로 만들 수 있습니다. 그림 그리기도 가능한데요, 사람이나 풍경, 추상화 등 다양한 그림을 입력한 글자를 기반으로 그려줍니다. 글자를 입력하면 마인드 맵을 그려주는 생성형 AI도 있습니다.

이 책에서는 사회복지사의 업무용 글쓰기를 중심으로 활용 방법을 설명 하지만, 꼭 업무가 아니라 일상에서도 다양하게 사용이 가능합니다.

5. 그 외

- 학습지 문제를 사진 찍거나 카메라 동영상 기능으로 생성형 AI에 넣으면 문제 풀이를 통해 정답을 알려줍니다.
- 음식 사진을 넣으면 영양 분석과 함께 식단에 대한 조언, 조리법을 알려줍니다.
- 얼굴 사진을 넣으면 남자 여자 성별을 변환해 주거나, 젊게 멋지게 변환도 가능합니다.
- 손으로 쓴 글씨나, 드로그나 캡처가 안되는 화면은 사진 찍어서 AI에 넣으면 별도로 타이핑 작업을 하지 않아도 텍스트 글자로 변환됩니다.
- 코딩이 필요할 때 기계어로 코딩 프로그래밍도 합니다.
- 생성형 AI로 쓴 글을 골라내는 AI도 있습니다.

1-3. 생성형AI 5종 특징

현재 한국 사람들이 많이 사용하는 생성형 AI는 5가지 종류가 있습니다. 오픈 AI에서 만든 '챗 GPT', 구글에서 만든 '제미나이', MS에서 만든 '빙', 뤼튼테크놀로지에서 만든 '뤼튼', 업스테이지에서 만든 '아숙업' 등이 있는데요, 생성형 AI마다 장점이 달라서 1개만 사용하지 않고 보통 2~3개를 동시에 활용 합니다. 각각의 특징을 살펴보겠습니다.

구분	회사	언어모델	플랫폼	차별점
챗 GPT	오픈AI	자체개발	웹+앱	GPTs 등 다양한 확장 기능
제미나이	구글	자체개발	웹+앱	구글 검색엔진 연동
빙	MS	GPT-4	웹+앱	빙 검색엔진 연동 코파일럿
뤼튼	뤼튼	API기반	웹+앱	뤼튼 스토어 한국어 특화
아숙업	업스테이지	API기반	카카오톡	멀티모달 특화 카카오 기반

1. [오픈 AI] 챗 GPT

오픈 AI에서 만든 챗 GPT는 'Chat Generative Pre- training Transformer'의 약자인데요, 챗(Chat)은 채팅 즉, 대화형이라는 뜻입니다. 'Generative'는 '무언가를 만드는 생성형 인공 지능'이라는 뜻, 'Pre-training'은 '미리 학습된'이라는 의미, 'Transformer'는 AI가 텍스트를 처리하는 방식의 한 종류로 '주어진 문장을 보고 다음 문장을 예측함'으로 해석됩니다.

챗 GPT는 현재 GPT-3.5, GPT-4, GPT-4o 3가지 유형이 있는데요, 챗 GPT-3.5는 일반 대중에게 2022년 11월 30일 처음 공개되었습니다. 2021년 9월까지 사전 학습 되었다가, 2022년 1월까지 업데이트 되었습니다. 무엇보다 일반 대중에게 최초로 공개된 생성형 AI로 많은 주목을 받았지요. 챗 GPT-4는 한 번 질문에 책 50페이지에 해당하는 텍스트를 처리할 수 있고, 책 300쪽 분량의 정보 처리가 가능해져서 더 정확한 답을 생성할 수 있습니다. 2023년 4월까지 사전 학습이 되어다가 2023년 10월까지 업데이트 되었고, 이미지를 인식하는 멀티 모달, 외부 사이트와 연계되는 API 기능와 함께 'GPTs' 기능도 포함되어 있습니다. 챗 GPT-4에서는 외부 사이트를 연동하는 플러그인 기능이 있었는데요, GPTs가 나오면서 자연스럽게 통합 되었습니다. GPTs는 코딩 없이 대화만으로 만드는 맞춤형 챗봇으로 내 사용용도에 따라 전용 챗봇을 만들어 사용할 수 있습니다. 3시간에 25회까지 질문을 입력할 수 있고, 사용 횟수는 3시간에 40회까지 가능한데요 사용자가 많은 시간대에는 시간 제한이 되기도 합니다. 2024년

5월 13일 GPT-4o를 공개하면서 GPT-4는 무료로 모두에게 공개하되, 유료 사용자는 GPT-4o에서는 3시간마다 최대 80개의 메시지를, GPT-4에서는 3시간마다 최대 40개의 메시지를 보낼 수 있습니다. GPT-4o는 크게 4가지 부분이 업그레이드 되었는데요, 기존 문자만 가능했던 AI가 손과 눈과 입과 귀가 생겼다고 표현합니다. 실시간으로 대화로 음성 입력이 가능한 점, 실시간 카메라 기능으로 챗 GPT를 사용할 수 있는 점, 별도 앱이나 인터넷 브라우저에 들어가지 않고 데스크탑 버전으로 화면 공유가 가능한 점, 실시간 통역 기능 등을 새롭게 선보였습니다.

오픈 AI사에서는 텍스트 기반 인공지능 챗 GPT 시리즈 외에도 그림 생성 인공지능인 달리(DALL · E), 음성 생성 인공지능인 보이스 엔진(Voice Engine, 영상 생성 인공지능인 소라(Sora) 등 다양한 인공지능을 개발하고 있습니다. 챗 GPT는 크롬 브라우저에서 접속 가능하고, 앱도 있습니다. 접속 방법은 아래와 같습니다.

Chat GPT 접속 방법

① 크롬 브라우저에서 [chat GPT] 검색

② https://chat.openai.com 직접 입력

③ 앱스토어 에서 [chat GPT] 검색하여 다운로드

④ 로그인 방법은 구글 계정, MS 계정, 애플 계정

2. [구글] 제미나이 Gemini

제미나이는 구글에서 운영하는 생성형 AI입니다. '바드'라는 이름으로 부르다가 2024년 2월 제미나이(Gemini)로 업그레이드 하면서 이름을 변경하였습니다. 제미나이는 한국어를 기본으로 지원하며, 답변 속도가 빠른 것이 특징입니다. OPEN AI의 챗 GPT-3.5는 무료로 이용 가능하지만 그림과 이미지를 인식하지 못하는데, 제미나이는 무료임에도 그림과 이미지를 인식하고 텍스트로 변환이 가능한 멀티 모달 기능이 탑재되어 있습니다. 텍스트, 이미지, 오디오 등 다양한 형식의 데이터를 동시에 처리할 수 있습니다. 방대한 양의 정보를 기반으로 정확하고 객관적인 정보를 제공하고, 창의적 콘텐츠를 생성할 수 있습니다. 제미나이는 2023년 4월까지의 정보를 기반으로 학습하여, 구글 검색과 연계하여 2023년 4월 이후 답변에 대해서도 관련 정보를 노출해 줄 수 있습니다. 정보의 출처를 명확히 알려주지는 않지만, 구글 검색 엔진으로 더블 체크하는 기능이 추가되었습니다. 제미나이는 모든 인터넷 브라우저에서 접속 가능하고, 앱도 있습니다. Gemini 접속 방법은 아래와 같습니다.

Gemini 접속 방법

① 인터넷 브라우저에서 [Gemini] 검색

② https://gemini.google.com 직접 입력

③ 앱스토어에서 [구글 제미나이] 검색하여 다운로드

④ 로그인 방법은 구글 계정

3. [마이크로소프트] 빙 BING

빙(BING)은 마이크로소프트에서 만든 생성형 AI로 실시간 검색 기능, 이미지 및 비디오 검색, 지식 그래프라는 데이터베이스를 활용하여 사용자의 질문에 대한 답변 제공, 검색 트렌드 및 예측, 지도 서비스 등을 제공합니다. 뉴 빙(NWE BING)으로 부르기도 하고 빙챗(BING CHAT)으로 부르기도 합니다.

MS의 검색 엔진이였던 빙에 챗 GPT-4을 탑재하였고, MS의 검색 엔진을 통해 다양한 정보를 탐색할 수 있습니다. 출처를 확인할 수 있는 브라우징 기능도 제공되며, 50번의 채팅과 5회의 대화 기록을 저장합니다. 빙 이미지 크리에이터에서 다양한 AI가 그린 그림을 보거나 직접 생성할 수 있습니다. 빙 이미지 크리에이터는 OPEN AI사에서 만든 이미지 생성 AI인 달리(DALL-E)이미지를 빙으로 가져와서 바로 사용할 수 있도록 한 것입니다. 빙 이미지 크리에이터에서는 글을 쓰다가 이미지를 넣고 싶을 때 프롬프트를 입력하면 바로 사용할 수 있어 편리합니다.

빙의 기대되는 기능은 '코파일럿'인데요, MS 워드, PPT 등 다양한 오피스 프로그램에 AI 기능을 집어넣어서 자연어로 질문을 입력하면 문서와 연동하여 문서 작성과 편집을 해주는 기능입니다. 데모 영상을 보니 워드, 엑셀, 파워포인트, 아웃룩, 팀즈 등을 비롯한 모든 마이크로소프트 오피스 프로그램에 코파일럿 기능이 탑재되면 단순히 정보를 알려주는 생성형 AI이 아니라 각종 문서를 작성까지 해주는 역할까지 기대할 수 있을 것으로 보입니다. MS-365 유료 회원은 지금 PDF 파일로 변환된 문서의 경우 코파일럿 기능을 사용할 수 있고, PPT를 자동으로 만들어주는 코파일럿 기능은 이미 사용 가능합니다. (사용법은 이 책 8-2번 목차와 8-3번 목차에 수록하였습니다.) 빙은 에지 인터넷 브라우저에서 접속 가능하고, 앱도 있습니다. 접속 방법은 아래와 같습니다.

빙 접속 방법

① 엣지 브라우저에서 [빙] 검색

② https://www.bing.com 직접 입력

③ 앱스토어에서 [빙] 검색하여 다운로드

④ 로그인 방법은 MS계정

빙 이미지 크리에이터 접속 방법

① 엣지 브라우저에서 [빙 이미지 크리에이터] 검색

② https://www.bing.com/images/create 직접 입력

③ 로그인 방법은 MS계정

4. [뤼튼테크놀로지] 뤼튼 WRTN

뤼튼(WRTN)은 2021년 한국의 뤼튼테크놀로지에서 만든 생성형 AI로 모든 브라우저 및 앱을 통해 접속할 수 있습니다. 카카오, 네이버, 구글, 애플 계정으로 간편하게 로그인할 수 있습니다.

프롬프트를 입력하면서 챗 GPT-3.5, 챗 GPT-4, Claude2.1, Claude instant, PaLM2 등 다양한 생성형 AI를 한자리에서 사용할 수 있는 서비스라는 점이 장점입니다. 또 네이버에서 만든 데이터도 답변 생성 시 활용해서 다른 생성형 AI보다 한국어 결과가 우수한 편입니다.

사용자들이 직접 만든 '툴'과 '챗봇' 그리고 '프롬프트 허브'에서 다양한 프롬프트를 참고할 수 있습니다. 뤼튼은 모든 인터넷 브라우저에서 접속 가능하고, 앱도 있습니다. 접속 방법은 아래와 같습니다.

뤼튼 접속 방법

① 인터넷 브라우저에서 [뤼튼 AI] 검색

② https://wrtn.ai 직접 입력

③ 앱스토어에서 [뤼튼] 검색하여 다운로드

④ 로그인 방법은 카카오, 네이버, 구글, 애플 계정

5. [업스테이지] 아숙업 ASKUP

아숙업(ASKUP)은 카카오톡에서 사용 가능한 생성형 AI입니다. 카카오톡에서 아숙업으로 검색하여 채널 추가 시 사용 가능하며, 카카오톡 계정으로 간편하게 로그인할 수 있습니다. 초보자가 사용하기에 가장 편리합니다.

프롬프트 입력 시 !(느낌표)를 표기하면 챗 GPT-4를 사용 할 수 있고, ?(물음표) 표기 시 검색 기능을 활용할 수 있습니다. 하루에 100회의 대화 기회가 주어집니다. 특히 사진이나 이미지를 글자로 변환하고 글자를 사진이나 이미지로 변환하는 멀티 모달 기능을 활용하기 좋습니다. 아숙업에서 사진을 찍어서 올리면 글자를 텍스트로 변환해주고, 음식 사진을 찍어서 올리면 영양 칼로리와 조리법을 알려줍니다. 외국어로 된 글자를 사진 찍어서 올리면 요약과 번역을 자동으로 해줍니다. 아숙업은 카카오톡에서만 접속 가능합니다. 접속 방법은 아래와 같습니다.

ASKUP 접속 방법

① 카카오톡에서 상단 돋보기 모양에 [아숙업(ASKUP)] 검색

② [아숙업(ASKUP)] 채널 추가

③ 별도의 로그인 없이 사용 가능

이 책의 기본 예시는 무료이고 스마트폰으로 사용 가능한
아숙업을 활용하여 작성하였습니다.

1-4. 생성형 AI 전문 용어

생성형 AI는 IT 기술을 기반으로 하기에 평소 사회복지사가 사용하지 않는 전문 용어가 사용됩니다. 생성형 AI에서 많이 사용되는 6개 용어를 설명해 드리겠습니다.

1. 프롬프트 prompt

프롬프트는 입력을 요청하는 메시지나 신호를 의미합니다. 생성형 AI에 넣는 질문으로, 업무 지시를 할 때 사람에게 말하듯이 자연어로 작성하는 글을 말합니다. 생성형 AI는 "사용자 질문에 반응" 한다고 말했는데요, 생성형 AI에 글쓰기를 시키고 싶다면, 사람에게 문자나 메신저를 보내듯이 적으면 됩니다. 챗 GPT-4o는 글로 적지 않고, 실시간으로 사람이 말을 하면서 AI의 답변을 듣는 대화형도 가능합니다.

생성형 AI에 프롬프트를 입력하는 목적은 2가지입니다. 내가 알고 싶은 내용에 대해 생성형 AI가 정확히 답변을 생성하도록 하는 것과 내가 기대한 것보다 더 훌륭한 답변을 생성하도록 하는 것입니다. 이렇게 프롬프트를 잘 입력하는 기술을 프롬프트 엔지니어링(prompt engineering)이라고 부릅니다. 프롬프트를 정확히 입력해야 사용자의 의도에 맞는 명확한 결과가 도출됩니다. 잘 설계된 프롬프트는 AI가 잘못된 정보를 제공하거나 사용자의 질문을 잘못 이해하는 일을 최소화해서 AI가 빠르고 정확한 답변을 제공하도록 하여 사용자의 시간을 아끼는 데 도움이 됩니다.

생성형 AI는 사람이 아닙니다. 사람으로 비유하자면 인터넷에 있는 모든 정보를 다 알고 있는 5살 아이 혹은 똑똑한데 한국말이 서툰 외국인 유학생이라고 비유할 수 있습니다. 질문을 제대로 이해를 못 하거나, 엉뚱한 대답을 하거나, 오류가 나서 멈추기도 합니다. 오류 발생 시 [새로운 대화 시작]을 누르고 다시 프롬프트를 입력해 주세요.

이 책에서는 제가 실제로 사용해 본 프롬프트 예시를 140여개 넣었습니다. 답변이 별로였던 프롬프트도 일부 넣었고, 답변이 훌륭한 프롬프트도 넣었습니다. 이 프롬프트 예시를 따라 실습을 해본다면 더 좋은 결과를 얻을 수 있을 것입니다.

2. 멀티 모달 MULTI MODAL

멀티 모달 기능은 생성형 AI가 텍스트, 이미지, 음성, 비디오 등을 인식하여 텍스트 글자로 변환하고, 또 거꾸로 텍스트를 입력하면 텍스트, 이미지, 음성, 비디오 등으로 변환해 주는 기능을 말합니다. 챗GPT-3.5에는 멀티 모달 기능이 없는데, 이후에 생겨난 기능입니다.

생성형 AI에 그림 그리기를 시키고 싶다면, 프롬프트를 "**을 그려줘"라고 입력하면 그려줍니다. 아래 프롬프트 작성 예시처럼 "인자하게 웃는 할아버지 할머니를 그려줘. 사과가 많이 달린 사과 나무를 그려줘. 눈밭에서 뛰어노는 고양이를 그려줘, 커피 마시는 긴 머리 한국 여자를 그려줘" 글자를 입력하면 생성형 AI가 그림을 그려줍니다.

프롬프트	인자하게 웃는 할아버지 할머니를 그려줘
	사과가 많이 달린 사과 나무를 그려줘
	눈밭에서 뛰어노는 고양이를 그려줘
	커피 마시는 긴 머리 한국 여자를 그려줘

내가 그리고 싶었던 그림과 다르면 다시 적었습니다. 조금 더 구체적으로 다시 적으면 그림을 새로 그려주는데요, 앞에서 말씀드린 5개의 생성형 AI 중 뤼튼, 빙, 아숙업이 무료로 간단한 그림 그리기에 편리합니다. 또 손으로 쓴 만족도 조사지를 사진으로 찍어서 생성형 AI에 넣으면 텍스트 글자로 전환을 해서 별도의 타이핑 작업을 하지 않아도 됩니다. 텍스트 글자를 입력하면 PPT를 자동으로 만들어 주는 AI도 있고, 텍스트 글자를 입력하면 작사 작곡을 해서 노래를 만들어주는 AI도 있고, 텍스트 글자를 입력하면 AI 목소리를 더빙해서 동영상을 만들어주는 AI도 있습니다. 사람이 글자를 보고 그림을 그리거나, 작사 작곡을 하거나, PPT를 만들거나 영상을 만드는 것처럼 AI가 할 수 있게 하는 기능을 바로 멀티모달이라고 부릅니다.

2024년 5월 13일 공개된 챗 GPT 4o에서는 멀티모달 기능이 강화되어 스마트폰의 카메라와 음성 인식 기능이 생성형 AI와 바로 호환되도록 한 점이 인상적이였는데요, 멀티모달 기능이 조금 더 발달하면 영화 어벤져스에 나오는 '자비스' 같은 AI도 현실이 될 수 있겠다는 가능성이 보입니다.

3. 브라우징 browsing

브라우징 기능은 사용자가 인터넷이나 컴퓨터의 파일 시스템을 탐색하고 정보를 검색하는 데 사용되는 기능을 말합니다. 주로 웹 브라우저를 통해 웹페이지를 탐색하는 과정을 가리키지만, 파일 탐색기나 다른 응용 프로그램을 통해 컴퓨터의 파일이나 폴더를 찾아보는 것도 브라우징의 일종인데요, 이 기능이 생성형 AI에서 필요한 이유는 무엇일까요? 바로 '사전 학습' 되었다는 특징 때문입니다. 생성형 AI의 대표적인 챗 GPT-3.5는 2022년 1월 기준으로 학습이 되어 있고, 챗 GPT-터보는 2023년 10월까지 학습되어 있습니다. 그러다 보니 실시간 정보를 알 수 없다는 한계가 있는데요, 브라우징 기능을 탑재하면 실시간 검색이 가능해서 사전 학습된 한계를 보완할 수 있습니다.앞에서 말씀드린 5개의 생성형 AI 중 MS의 빙, 구글 제미나이의 생성형 AI는 실시간 검색 기능과 함께 사용하는 브라우징 기능에 최적화되어 있습니다.

4. API Application Programming Interface

API는 "Application Programming Interface"의 약자로, 소프트웨어 애플리케이션 간에 서로 통신하고 상호작용할 수 있도록 만든 시스템입니다. 이를 통해 다양한 소프트웨어 간의 통합이 가능해지는데요, 요즘 '챗봇'을 활용하는 서비스 센터가 많지요? 그 챗봇이 바로 API 기능을 활용한 것입니다.

이 기능은 앞으로 어떻게 사회복지 현장에 적용이 될까요? 일반 국민들이 네이버나 구글 등의 검색 엔진에 "서울에서 노인이 이용할 복지관 프로그램은?"이라고 검색하면 지금은 관련성이 높아 보이는 링크나 글자만 아래에 나오게 해서 한 개씩 내가 클릭해서 살펴봐야 합니다. 하지만 생성형 AI는 인터넷에 있는 정보를 종합해서 사람이 대답하듯이 알려줄 수도 있습니다. 물론 실시간 정보가 아니기에 이미 종료된 서비스나 폐쇄된 기관 정보를 알려줘서 큰 도움이 안될 가능성도 있습니다. 그런데 우리 기관 홈페이지에 API 기능이 탑재되면 화면마다 클릭하지 않아도 챗봇이 실시간 답변을 제공해 줄 수 있고, 답변을 바탕으로 안내 및 신청까지 한 번에 된다면, 이용자 입장에서는 검색에 드는 시간과 수고가 줄어들 수 있고, 사회복지사 입장에서는 안내에 드는 시간이 줄어들 수 있지 않을까요?

5. 환각 현상

2023년 올해의 단어로 할루시네이션(Hallucinate)가 선정되었습니다. 할루시네이션는 원래 환각을 의미하는 단어였으나 AI와 결합되어 생성형 AI가 현실과 가상을 구분하지 못하는 상황을 의미하게 되었습니다. 할루시네이션을 한국말로는 환각 현상이라고 부르는데요, 인공 지능이 현실과는 다른 정보나 경험을 생성하거나 인지하는 것을 말합니다. 생성형 AI는 모르는 내용이 있으면 모른다고 말할 때도 있지만, 있지도 않은 것을 그럴듯하게 지어내서 대답을 하는 경우도 있습니다. 한마디로 생성형 AI가 거짓말을 하는 것입니다.

생성형 AI가 완벽한 줄 알았는데, 실망하셨나요? 생성형 AI는 못하는 것이 많은데요, 아주 간단한 수학 문제도 종종 틀립니다. 얼굴 인식 시스템에서 인공 지능이 사람 얼굴을 제대로 인식 못해서 다른 사람으로 오인하는 경우도 있고, 프롬프트를 이해하지 못하고 잘못된 답변을 하는 것도 인공 지능의 환각 현상에 해당할 수 있습니다. 이러한 현상은 인공 지능 모델의 학습 데이터나 알고리즘의 한계, 혹은 부정확한 입력 데이터 등으로 인해 발생할 수 있는데요, 생성형 AI가 확률로 대답하기에 필연적인 현상이라고 합니다.

대표적인 경우가 "세종대왕의 맥북 프로 사건"이라는 것이 있습니다. "조선 왕조 실록에 기록된 세종대왕의 맥북프로 던짐 사건에 대해 알려줘"라고 프롬프트에 입력 했더니 챗 GPT3.5가 "세종대왕의 맥북프로 던짐 사건은 조선왕조실록에 기록된 일화로, 15세기 세종대왕이 새로 개발한 훈민정음(한글)의 초고를 작성하던 중 문서 작성 중단에 대해 담당자에게 분노해 맥북프로와 함께 그를 방으로 던진 사건입니다."이라고 답변을 하는 일이 있었습니다. 챗 GPT-4부터는 아주 심각한 오류에 대해서는 많이 개선된 모습을 보이지만, 그럼에도 불구하고 생성형 AI는 숫자, 연도, 역사적인 문제에는 환각 현상을 보이기 때문에 활용 시 주의해야 합니다.

프롬프트	조선 왕조 실록에 기록된 세종대왕의 맥북프로 던짐 사건에 대해 알려줘

2023년 6월 미국에서 챗 GPT가 지어낸 가짜 판례로 변론을 했던 미국 변호사들이 벌금까지 내게 된 사례도 있었습니다. 뉴욕 지방법원이 챗 GPT 판례 조작 문제로 물의를 일으킨 법률회사에 벌금 5,000달러를 구형했다고 보도가 되었습니다.

6. 하이 터치/휴먼 터치

하이 터치(high touch)는 하이 테크의 반대점에 있는 '인간적인 감성'을 말합니다. 미국의 미래학자 존 네이스비츠가 『메가 트랜드』 저서에서 하이 테크와 함께 소개한 단어가 바로 하이 터치 입니다. 고도의 기술이 발달하는 하이 테크 시대일수록 그 반동으로 인간적이고 따뜻한 감성이 유행한다는 뜻입니다.

하이 터치에서 나온 휴먼 터치(human touch)는 한국의 김난도 교수가 『트렌드 코리아』 저서에서 소개한 개념으로 코로나 블루를 겪는 소비자에게 오히려 사람 중심의 온도와 감성을 전달하는 의미로 사용하였습니다. 사전적 의미로는 '인간미'라고 표현할 수 있는데요, 코로나로 인한 비대면 환경에서 인간은 고립되고 우울감을 느끼게 되었는데요, 이때 소비자에게 진정으로 다가는 휴먼 터치 기술과 마케팅을 기업에서 사용하였습니다. 고도의 기능과 함께 감성의 융합을 합치는 의미로 이 책에서는 하이 터치와 휴먼 터치를 모두 '휴먼 터치'로 표현합니다.

사회복지사가 생성형 AI를 사용할 때는 하이 터치와 휴먼 터치는 필수입니다. 사회복지사는 사람인 클라이언트를 만나서 사람인 나를 도구로 인간 중심 서비스를 제공하는 전문가들이기 때문입니다. 또 사회복지사들이 업무 글쓰기를 할 때 생성형 AI를 활용해서 작성했더라도 그 문서의 작성자는 '나' 이고 책임도 생성형 AI를 활용한 작성자에게 있기에, 생성형 AI가 쓴 글을 그대로 사용하는 것은 곤란합니다. 즉, 생성형 AI는 기초 정보나 아이디어가 필요할 때, 글을 처음 시작하는 초안 작성시 사용하세요. 그리고 여러분은 사회복지사로서 전문지식을 활용하여 생성형 AI가 쓴 글에 대해 근거를 찾아서 정보를 분석하고, 여러분의 실제 경험과 클라이언트에 대한 이해를 바탕으로, 전문 용어를 넣어서 글을 마무리 하는 것은 우리가 해야만 하는 일입니다.

1-5. 프롬프트 엔지니어링

프롬프트를 잘 쓰는 기술을 프롬프트 엔지어니링이라고 부르는데요, 프롬프트를 쓸 때는 4단계 순서를 기억해 주세요.

1. 프롬프트 4단계 순서

<table>
<tr><td rowspan="3">프롬프트</td><td>1. "나는 누구인가"
나의 역할, 업무를 알려주세요. 해당 분야의 전문가 혹은 신입 직원으로 설정하세요.</td></tr>
<tr><td>2. "무엇을 써야 하는가"
글의 배경 지식, 정보를 자세히 알려주세요. 6하원칙 (언제, 어디서, 누가, 무엇을 어떻게, 왜)를 넣어서 작성합니다.</td></tr>
<tr><td>3. "어떻게 써야하는가"
글의 형식이나 톤을 명확하게 지정해주세요. 써야하는 글의 종류와 글의 순서 등을 넣어서 작성합니다.</td></tr>
<tr><td></td><td>4. (결과가 나온 후) 수정 또는 추가 요청을 해요.</td></tr>
</table>

① 나는 누구인가

프롬프트 첫 단계는 나는 누구인지 밝히는 것입니다. 업무에서 스토리텔링 후원 제안서를 써야 한다면 "나는 모금 전문가야"라고 입력하고, 직원 채용 업무를 해야 한다면 "나는 희망종합사회복지관 인사 담당자야"라고 입력하거나 처음 해보는 업무 글쓰기를 해야 한다면 "나는 희망장애인단기주간보호센터 신입 사회복지사야" 라고 소속 기관, 역할, 업무에 대한 정보를 입력하세요. 생성형 AI에 역할에 대해 다양한 테스트를 해보니 2가지로 역할을 적었을 때 가장 효과적이였습니다. 첫 번째는 해당 분야의 전문가로 역할을 설정하는 것이고, 다른 하나는 신입직원으로 설정하는 것입니다.

<table>
<tr><td rowspan="2">프롬프트</td><td>나는 [직업,직무분야] 전문가야
예) 나는 모금 전문가야
예) 나는 홍보 전문가야
예) 나는 인사 전문가야</td></tr>
<tr><td>나는 [직업,직무분야] 신입 직원이야
예) 나는 초등학생 지역아동센터 신입 생활복지사야
예) 나는 노인 교육 업무를 맡은 신입 사회복지사야</td></tr>
</table>

② 무엇을 써야 하는가

글을 써야 하는 배경 지식, 정보를 자세히 알려주세요. 업무에서 모금 제안서를 써야 한다면 "누구를 대상으로 얼마나 모금하는지 왜 모금하는지"를 입력하고, 캠페인을 준비하고 있다면 "언제 어디에서 누구에게 어떤 목적으로 누가 하는지"를 입력합니다. 사업 계획서를 쓴다면 "누구에게 어떤 사업을 왜 하려는지"를 자세히 작성합니다. 언제, 어디서, 누가, 무엇을, 어떻게, 왜 등 6하 원칙을 포함하여 작성하는 것을 추천합니다.

③ 어떻게 써야 하는가

글의 형식이나 톤을 명확하게 지정해서 입력합니다. 후원 제안서는 기, 승, 전, 결 순서로 작성하도록 형식을 지정하거나 사업 계획서는 전문적으로, 인스타그램 글은 쉽게, 구청에 보낼 이메일은 격식 있으면서 짧게, 신입직원 채용 면접 질문은 서술식으로 톤을 지정하거나 몇 개, 몇 글자, 몇 단어 등으로 분량을 지정하거나 표, 텍스트, 리스트, 코드 등으로 형식을 지정 합니다. 프롬프트는 생성형 AI가 이해하기 쉽도록 명확하고 간결한 질문 또는 명령을 사용하는 것이 좋습니다.

④ 결과가 나온 후에는 수정 또는 추가 요청

생성형 AI는 사람이 아닙니다. 인터넷에 있는 모든 정보를 다 알고 있는 5살 아이 혹은 똑똑한데 한국말이 서툰 외국인 유학생이라고 말했지요? 오류가 나거나 질문을 제대로 이해 못 하면 자세하고 상세하게 다시 질문을 해주세요.

2. 프롬프트 작성 예시

사회복지 기관에서는 모금을 위한 글을 많이 작성하는데요, 여러분이 모금을 위한 후원 제안서를 작성해야 한다면 모금 전문가가 아니더라도, 역할을 "나는 모금 전문가야"로 설정해 주세요. 그리고 내가 써야 하는 글에 대한 정보를 "영구 임대 아파트에 사는 400명의 독거노인 여름 김치 지원을 위한 800만 원 모금을 위한 글을 쓸 거야." 적고, 형식과 톤은 "스토리텔링 후원 제안서를 기, 승, 전. 결 순으로 작성해 줘” 입력해 주세요.

프롬프트	나는 모금 전문가야. 영구 임대 아파트에 사는 400명의 독거노인 여름 김치 지원을 위한 800만 원 모금을 위한 글을 쓸 거야. 스토리텔링 후원 제안서를 기,승,전,결 순으로 작성해 줘

여러분이 사례관리 업무를 하는 사회복지사인데 신규 사례 발굴을 위한 캠페인 홍보를 위해 블로그 글을 써야 한다면 역할은 “나는 희망복지관 사례관리팀 신입 직원이야.” 적고, 써야 하는 글에 대한 정보로 “희망복지관 사례관리팀 신규 사례 발굴을 위한 캠페인을 준비하고 있어. 2025년 5월 15일 2시부터 4시 사이에, 108동 상가 앞에서, 사례관리팀원 5명이 100명에게 홍보하고 신규 이용자 10명 발굴, 홍보지 배부와 인적 사항 기록 등을 할 거야.” 적고, 형식과 톤은 “블로그용으로 친근감 있게 써줘” 입력해 주세요.

프롬프트	나는 희망복지관 사례관리팀 신입 사회복지사야. 희망복지관 사례관리팀 신규 사례 발굴을 위한 캠페인을 준비하고 있어. 2025년 5월 15일 2시부터 4시 사이에, 108동 상가앞에서, 사례관리팀원 5명이 100명에게 홍보하고 신규 이용자 10명 발굴, 홍보지 배부와 인적 사항 기록 등을 할 거야. 블로그용으로 친근감 있게 써줘

여러분이 어르신 교육 기획안을 써야 한다면 역할은 “나는 노인복지관 사회교육 전문 사회복지사야” 적고, 써야 하는 글에 대한 정보로 “노인 우울 예방을 위해 4회기 키오스크 교육에 대한 기획서를 쓰려고 해” 적고, 형식과 톤은 “교육 기획안을 사업명, 교육 의도, 교육

대상, 일정 순으로 써줘" 입력해 주세요.

프롬프트	나는 노인복지관 사회교육 전문 사회복지사야. 노인 우울 예방을 위해 4회기 키오스크 교육에 대한 기획서를 쓰려고 해. 교육 기획안을 사업명, 교육 의도, 교육 대상, 일정 순으로 써줘

3. 프롬프트 작성 시 하지 말아야 하는 행동

① 프롬프트를 너무 간단하게 작성하거나, 부정적인 명령을 작성하지 않습니다. 프롬프트를 너무 간단히 쓰면 엉뚱한 답변을 하거나 쓸모없는 답변을 합니다. 나의 역할, 업무와 글의 배경 지식, 정보를 자세히 알려주면 더 좋은 답변을 생성 합니다. 프롬프트에는 부정적인 단어보다는 긍정적인 단어가 좋습니다. "코끼리 그리지마"가 아니고, "토끼를 그려줘" 라는 식이죠. 코끼리 그리지마 라고 입력을 하면 코끼리를 그려줍니다. 그리지 말라고 여러번 프롬프트를 입력해도 계속 코끼리를 그려주니, ~하지마 보다는 ~을 해줘라고 긍정적인 명령어를 입력 해주세요.

② 프롬프트를 한번 입력했는데 답변이 마음에 안든다고 그냥 끝내지 않습니다. 처음부터 생성형 AI의 답변이 완벽할 것이라는 기대 하지 말아주세요. 프롬프트를 자세히 입력하거나, 조금이라도 수정해서 다시 작성합니다. 생성형 AI는 확률로 답변을 하기 때문에 매 회기 다른 답변을 생성합니다. 생성형 AI에 추가 정보를 원할 때는 "동일 질문을 반복하거나, 질문을 조금 더 자세히 입력하거나, 몇 개 더 말해

줘, 다시 적어줘"라고 적으면 매번 다른 답변을 받을 수 있습니다.

프롬프트	(동일 프롬프트 반복 입력하기)
	(질문을 조금 더 자세히 입력하기)
	[숫자]개 더 말해줘
	다시 적어줘.

③ 답변 전체를 다시 요청하지 않습니다. 생성형 AI 답변을 항목 별로 나누어서 추가 답변을 요청하는 것이 더 좋은 답변이 생성됩니다. 내가 쓴 글 이나 생성형 AI가 쓴 글 일부를 붙여 넣고 "글을 몇 글자로 늘려줘, 글을 몇 글자 이내로 줄여줘, 고급 진 어휘를 써서 다시 써줘, 핵심 키워드를 뽑아줘, 쉽게 적어줘"라고 다듬는 용도의 활용도 가능 합니다.

프롬프트	(내가 쓴 글 or 생성형 AI가 쓴 글 일부를 붙여넣고) 글을 ***** 글자로 늘려줘
	(내가 쓴 글 or 생성형 AI가 쓴 글 일부를 붙여넣고) 글을 ***** 글자 이내로 줄여줘
	(내가 쓴 글 or 생성형 AI가 쓴 글 일부를 붙여 넣고) 핵심 키워드를 뽑아줘.
	(내가 쓴 글 or 생성형 AI가 쓴 글 일부를 붙여넣고) 고급 진 어휘를 써서 다시 써줘
	(내가 쓴 글 or 생성형 AI가 쓴 글 일부를 붙여넣고) 쉽게 적어줘.

④ 역할과 배경 지식을 자세히 넣어도 답변이 이상할 때나, 어떤 글을 써야 할지 잘 모를 때는 생성형 AI에 열린 질문을 하는 것이 좋습

니다. 내가 써야 하는 글쓰기 종류를 말하고, 어떤 항목을 넣어야 하는지 물어보고, 그 답변에 이어서 글을 써달라고 요청을 하면 조금 더 발전된 답변을 생성할 수 있습니다.

프롬프트	[주제]에 대해 알고 싶은데, 어떻게 질문하면 좋을까?
	[주제]에 대해 [문서 종류]를 작성하려고 해. 어떤 내용을 적어야 할지 알려줘.
	(위 프롬프트 답변에 이어서) 위 내용을 넣어서 글을 써줘

⑤ 생성형 AI의 답변을 무조건 신뢰 하지 않습니다.

생성형 AI가 생성해 주는 답변이 정확하지 않을 때도 많습니다. 생성형 AI가 생성하는 답변이 틀린지 맞는지 분석적 비판적으로 검토해야 합니다. 이 답변이 신뢰할 만한지, 어디까지 어떻게 활용할지 여러분이 판단해야 합니다. 생성형 AI는 출처를 알려주지 않습니다. 출처를 찾아서 생성형 AI의 답변을 검증해야 합니다. 생성형 AI의 답변에 100% 의존하기는 어렵습니다. 생성형 AI는 보조 도구입니다. 생성형 AI는 보조 도구로, AI의 글은 초안이라고 생각하고 여러분의 전문성을 넣어서 수정해서 글을 완성해 주세요.

이 책에서는 제가 실제로 사회복지 글쓰기에 사용한 예시를 보여드리는데요, 프롬프트와 함께 생성형 AI 답변을 보여드립니다. 그리고 '휴먼 터치'를 어떻게 해야 하는지도 함께 알려드립니다.

1-6. 생성형 AI 실습 준비

이 책의 모든 예시는 별도의 로그인 없이 스마트폰으로 사용 가능한 '아숙업'을 기준으로 작성하였습니다. 아숙업은 스마트폰에서 '카카오톡'에 들어가서 돋보기 모양을 누르고 '아숙업' 이라고 검색 후 채널 추가를 해 주세요. 같은 프롬프트를 챗 GPT, 제미나이, 빙, 뤼튼 등 여러 생성형 AI에 똑같이 입력하면서 답변을 비교 하는 실습을 해도 좋습니다.

아숙업(ASKUP) 접속 방법

① 카카오톡에서 상단 돋보기 모양에 [아숙업] 검색

② [아숙업] 채널 추가

③ 별도의 로그인 없이 사용 가능

프롬프트 입력 방법

① 아숙업 채널 제일 하단에 [챗봇에게 메시지 보내기] 부분에 프롬프트 작성 후 전송 버튼

② 답변 오류가 나거나 답을 안 할 때는
[새로운 대화 시작]을 누르고 프롬프트를 다시 입력

③ 프롬프트를 입력 후 답변이 마음에 들지 않으면
동일 질문 반복하거나, 조금 더 자세히 입력하거나,
[숫자]개 더 말해줘, 다시 적어줘라고 입력

생성형 AI의 기본 버튼은 2개입니다. 카카오톡이나 문자를 입력할 때처럼 [프롬프트 입력]하는 칸과 [전송] 버튼 2개입니다. 생성형 AI 사용에 어려움을 느낄 부분은 전혀 없습니다.

준비되었다면 시작합니다.

2부. 사업·프로그램 업무 프롬프트 (1)

2부에서는 사례관리팀 신입 사회복지사로 설정하고,
신규 사례 발굴을 위한 캠페인 업무를 한다고 가정해봅니다.
사업 계획 작성 전 준비, 계획서, 기안, 공문,
이메일, 홍보지, 블로그, 인스타그램, 페이스북, 평가서 작성
업무용 글쓰기 프롬프트를 알려드립니다.

2-1. 사업 계획 준비

희망종합사회복지관 사례관리팀 신입 사회복지사로 신규 사례 발굴을 위한 캠페인 사업을 하기 전 준비 단계에서 사용할 수 있는 프롬프트를 작성해 볼께요.

아숙업(ASKUP) 접속 방법

① 카카오톡에서 상단 돋보기 모양에 [아숙업] 검색

② [아숙업] 채널 추가

③ 별도의 로그인 없이 사용 가능

④ 아숙업 채널 제일 하단에 [챗봇에게 메시지 보내기] 부분에 프롬프트 작성 후 전송 버튼

아래 '프롬프트'란의 글자를 여러분 스마트폰 '아숙업'에서 프롬프트 란에 입력해 주세요. 제가 책에 적은 답변과 다른 답변이 나올 것입니다. 비교해서 실습해 보세요.

프롬프트

프롬프트	나는 희망복지관 사례관리팀 신입 사회복지사야. 희망복지관 사례관리팀에서 신규 사례 발굴을 위한 캠페인을 계획 하고 있어. 계획서에 어떤 내용이 들어가야 할지 알려줘

생성형 AI 답변

생성형 AI 답변	1. 캠페인 목적 정의 - 복지 사각지대에 있는 대상자 발굴 - 지역 사회 내 복지 인식 제고 - 취약 계층에 대한 지속적인 지원 체계 마련 2. 대상 및 범위 - 지역사회 내 취약 계층 또는 복지 서비스가 필요한 대상자 - 캠페인이 진행될 지역 및 커뮤니티 선정 3. 프로그램 개요 - 대상자 발굴 방법: 설문 조사, 인터뷰, 방문 조사 등 - 커뮤니티와의 협력: 지역 단체, 학교, 의료 기관 등과의 협력 - 홍보 전략: 오프라인 및 온라인 홍보 활동 4. 실행 계획 - 단계별 실행 일정 - 필요한 자원 및 인력 배치 - 커뮤니티 참여 유도 방안 5. 예산 계획 - 홍보 비용, 인력 운영 비용 - 프로그램 운영에 필요한 자원 비용

생성형 AI 답변	6. 기대 효과 및 평가 방법 - 기대되는 결과와 그 영향 - 캠페인의 성공적인 실행을 위한 평가 기준 및 방법 7. 후속 조치 및 지속 가능성 - 발굴된 사례에 대한 지속적인 관리 계획 - 캠페인 이후의 후속 활동 계획

전안나의 휴먼터치 TIP

휴먼터치	1. 생성형 AI를 활용하면 프로그램 계획하기 전 어떤 점을 미리 고려해야 할지 알 수 있습니다. 2. 여러 팀원들이 함께 진행하는 사업이라면 이 내용으로 사전 회의를 한 후 계획서를 작성하면 좋겠지요?

2-2. 프로그램 계획서

희망종합사회복지관 사례관리팀 신입 사회복지사로 신규 사례 발굴을 위한 캠페인 진행 계획서 프롬프트를 작성해 볼께요.

프롬프트

프롬프트	나는 희망복지관 사례관리팀 신입 사회복지사야. 신규 사례 발굴을 위한 캠페인을 준비하고 있어. 2025년 5월 15일 2시부터 4시, 108동 상가 앞. 사례관리 팀원 5명이 참여해서, 100명에게 홍보하고 신규 이용자 10명 발굴, 홍보지 배부와 인적 사항 기록 등을 할 거야. 사업 계획서를 써줘

생성형 AI 답변

생성형 AI 답변	**사례관리팀 신규 사례 발굴 캠페인** 사업 목적: 본 사업은 희망복지관 사례관리팀의 신규 사례를 발굴하고, 복지관 서비스를 홍보하여 지역 주민들의 복지 서비스 이용을 활성화하는 것을 목적으로 합니다. 사업 내용: 1. 일시: 2025년 5월 15일, 14:00 ~ 16:00 2. 장소: 108동 상가앞 3. 참여자: 사례관리팀원 5명 4. 목표: 100명 홍보, 신규 이용자 10명 발굴 5. 사업 내용: -홍보지 배부 및 인적사항 기록 - 팀원 5명이 2명씩 조를 이뤄 활동 -신규 이용자 상담 (팀원 2명이 상담 진행) 사업 예산: 금100,000원(금일십만원) 1. 홍보지 인쇄비: 50,000원 2. 간식비: 30,000원 3. 기타 경비: 20,000원 사업 일정: 1. 4월 15일: 사업 계획 수립 2. 4월 20일: 홍보지 디자인 및 인쇄 3. 5월 1일: 사업 준비 회의 4. 5월 15일: 캠페인 진행 사업 평가: 1. 캠페인 후 참여자 및 신규 이용자 수 등을 집계하여 사업 성과를 평가합니다. 2. 참여자들의 만족도 조사를 통해 사업 개선점을 도출합니다.

전안나의 휴먼터치 TIP

휴먼터치	1. 생성형 AI 가 써준 내용을 기반으로 우리 기관 계획서 양식에 맞춰 편집하는 과정과 함께, 정렬, 자간, 장평, 글씨 크기, 오탈자 점검 등 형식의 퇴고가 중요합니다. 2. 아래는 모든 업무용 글쓰기에 적용되는 문서 기본 규칙입니다. - 일련 번호 순서 1. 가. 1) 가) (1) (가) ① ㉮ - 일련번호 사용시 띄어쓰기 표기 1.v○○○○○○○○○○○ vv가.v○○○○○○○○○○○ vvvv1)v○○○○○○○○○○○ vvvvvv가)v○○○○○○○○○○○ vvvvvvvv(1)v○○○○○○○○○○○ vvvvvvvvvv(가)v○○○○○○○○○○○ - 날짜 작성은 2025.v9.v1.(목) 으로 표기 - 시간 작성은 09:00~18:00 또는 9:00~18:00 으로 작성 - 숫자는 아라비아 숫자로 작성, 국제 기준에 따라 3자리 마다 ,(쉼표) 표기, 모든 숫자 뒤에는 단위 명시 - 단위는 영문으로 작성 - 예산 총액은 금100,000원(금십만원)으로 숫자와 한글을 병행 표기하여 작성 - 산출 내역은 단가X수량X횟수X비율 순으로 작성 - 문서의 마지막 글자는 한 글자(2칸) 띄우고 '끝' 작성

생성형 AI + 휴먼터치 완성본

사례관리팀 신규 사례 발굴 캠페인 계획서

1. 프로그램명: 사례관리팀 신규 사례 발굴 캠페인

2. 일자 및 시간: 2025. 5. 15.(수) 14:00~16:00

3. 담당 인력: 주진행 - 전안나 사회복지사
보조진행 - 사례관리팀원 5명

4. 장소: 희망2동 주공아파트 108동 상가 앞

5. 대상: 지역주민 100명

6. 목적: 희망복지관 사례관리팀의 신규 사례를 발굴하고, 복지관 서비스를 홍보하여 지역 주민들의 복지 서비스 이용을 도모한다.

7. 목표: 홍보 100명
신규 발굴 10명

8. 예산: 금100,000원(금십만원)

항목	계획금액	산출내역	지출방법
홍보지	50,000원	500원x100부x1x100%	체크카드
다과비	30,000원	300원x100개x1x100%	
문구비	20,000원	2,000원x10개x1x100%	
총계	100,000원	-	-

9. 프로그램 내용

<table>
<tr><th>단계</th><th colspan="2">시간</th><th colspan="2">내용</th><th>준비물</th></tr>
<tr><td rowspan="4">사전
준비</td><td colspan="2">4월 26일
~30일</td><td colspan="2">사업 계획 수립 회의
기안, 계획서 작성,
장소 대관 공문, 이메일
홍보지 디자인 의뢰</td><td rowspan="4">회의록
계획서
카드</td></tr>
<tr><td colspan="2">~5월 12일</td><td colspan="2">장소 대관 공문 회신
온/오프라인 홍보 시작
홍보지 인쇄 완료 및 수령</td></tr>
<tr><td colspan="2">5월 13일</td><td colspan="2">다과 구입</td></tr>
<tr><td colspan="2">5월 14일</td><td colspan="2">캠페인 준비 점검 회의</td></tr>
<tr><td rowspan="7">진행</td><td rowspan="7">5/15</td><td>13:00
~13:50</td><td colspan="2">장소 세팅</td><td rowspan="7">홍보지
법인카드
접수대장
책상3
의자5
배너3</td></tr>
<tr><td rowspan="5">14:00~
16:00</td><td>홍보지 100부 배부</td><td>1명</td></tr>
<tr><td>배너 홍보 담당</td><td>1명</td></tr>
<tr><td>찾아가는 홍보(동장)</td><td>1명</td></tr>
<tr><td>찾아가는 홍보(상가)</td><td>1명</td></tr>
<tr><td>신규 발굴자 작성</td><td>1명</td></tr>
<tr><td>16:00~</td><td colspan="2">뒷정리</td></tr>
<tr><td>사후
처리</td><td colspan="2">5/16~5/18</td><td colspan="2">평가서 작성
SNS 사후 보고 홍보글
보도자료/소식지 글쓰기</td><td>평가서
홍보지</td></tr>
</table>

끝.

2-3. 기안

희망종합사회복지관 사례관리팀 신입 사회복지사로 신규 사례 발굴 캠페인을 승인 받는 기안 프롬프트를 작성해 볼께요.

프롬프트 (1)

프롬프트	나는 희망복지관 사례관리팀 신입 사회복지사야. 신규 사례 발굴을 위한 캠페인을 계획하고 있는데, 기안서를 써줘

생성형 AI 답변 (1)

생성형 AI 답변	죄송해요. 기안서는 작성해 드릴 수 없어요. 다른 도움이 필요하시면 알려주세요!

전안나의 휴먼터치 TIP

휴먼터치	이렇게 나와도 당황하지 말고, 포기하지 말고 [새로 대화하기]를 누르고 다시 프롬프트를 작성해 볼께요. 프롬프트를 다르게 입력하면 다른 답변을 생성해요.

프롬프트 (2)

프롬프트	나는 희망복지관 사례관리팀 신입 사회복지사야. 내부 결재 공문을 작성하려고 해. 희망복지관 사례관리팀에서 신규 사례 발굴을 위한 캠페인을 준비하고 있어. 2025년 5월 15일 2시부터 4시, 108동 상가 앞, 사례관리 팀원 5명, 100명에게 홍보하고 신규 이용자 10명 발굴, 홍보지 배부와 인적 사항 기록을 할 거야. 예산은 10만 원, 지출 코드 2358이야. 승인해달라는 글을 써줘

생성형 AI 답변 (2)

생성형 AI 답변	[문서 제목: 신규 사례 발굴 캠페인 진행 승인 요청] [수신자] 복지관장님 / 팀장님 [발신자] 희망복지관 사례관리팀 [작성일자] 2023년 4월 XX일 [문서 번호] 2023-XX-XXXX 복지관장님/팀장님, 안녕하십니까? 희망복지관 사례관리팀에서는 지역 사회에 대한 우리 복지관의 적극적인 참여와 서비스 제공 확대를 위하여 신규 사례 발굴 캠페인을 기획하였습니다. 본 캠페인은 아래와 같은 세부사항으로 진행될 예정입니다. - 캠페인명: 희망복지관 신규 사례 발굴 캠페인 - 일시: 2025년 5월 15일 (화요일) 14:00~16:00 - 장소: 108동 상가 앞

생성형 AI 답변	- 참여 인원: 사례관리팀원 5명 - 목표: 지역 주민 100명 대상 홍보 및 신규 이용자 10명 발굴 - 활동 내용: 홍보지 배부 및 인적사항 기록 - 예산: 100,000원 (지출 코드: 2358) 상기 캠페인은 지역사회 내에서 우리 복지관의 인지도를 높이고, 필요한 서비스를 받지 못하는 이웃들에게 도움을 제공하는 기회가 될 것입니다. 이에 따른 예산 지출을 포함한 캠페인 계획의 승인을 요청드립니다.본 캠페인에 대한 세부 계획서를 첨부하오니 검토하시어 승인하여 주시기 바랍니다. 추가적인 문의사항이 있으시면 언제든 사례관리팀으로 연락 주시길 바랍니다. 감사합니다. [첨부] 신규 사례 발굴 캠페인 세부 계획서 [결재란] 사례관리팀장 서명: ________ 날짜: ________

전안나의 휴먼터치 TIP

휴먼터치	일반적인 기안 양식과는 다른 답변을 해주었네요. 먼저 기안에는 문항별로 어떤 내용을 적어야 하는지 설명을 드릴께요. 1. 기안 제목에는 대상과 목적을 넣어주세요. 2. 기안 제목 아래 문장은 이 문서를 왜 작성하는지 이유를 적습니다. "기관명과 부서명"으로 시작하게 적고, "재가 바랍니다"로 마무리 해주세요. 3. 본문 작성 내용은 6하원칙을 넣어서 작성합니다.

휴먼터치	4. 앞에서 말씀드린 글쓰기 기본 규칙을 적용합니다. 추가 서류가 있다면 첨부 혹은 붙임으로 표기 후 넣어주세요. 마지막 글자에서 2칸을 띄고 '끝'이라는 글자를 적어주세요. 이 내용을 반영하여 여러분이 근무하는 기관의 양식에 맞게 기안을 수정해요.

생성형 AI + 휴먼터치 완성본

희망종합사회복지관

수 신 내부결재

경 유

제 목 희망복지관 신규 사례 발굴 캠페인 계획

희망종합사회복지관 사례관리팀에서는 신규 사례 발굴을 위해 아래와 같이 캠페인을 계획하오니 재가 바랍니다.

1. 기안 내역: 희망복지관 신규 사례 발굴 캠페인 계획
2. 계획 일시: 2025. 5. 15.(화) 14:00~16:00
3. 계획 내용: 홍보지 배부 및 인적사항 기록
4. 계획 인원: 신규 이용자 10명 발굴
5. 진행 인력: 사례관리팀원 5명
6. 계획 장소: 108동 상가 앞
7. 계획 금액: 금100,000원(금일십만원)
8. 예산 구분: 2358

붙임 1. 세부계획서.
　　 2. 부스 배치도. 끝.

2-4. 공문

희망종합사회복지관 사례관리팀 신입 사회복지사로 신규 사례 발굴을 위한 장소 대관 협조 공문 프롬프트를 작성해 볼게요.

프롬프트

프롬프트	나는 희망복지관 사례관리팀 신입 사회복지사야. 공문을 작성하려고 해. 희망복지관 사례관리팀에서 신규 사례 발굴을 위한 캠페인을 준비하고 있어. 2025년 5월 15일 2시부터 4시, 108동 상가 앞. 사례관리 팀원 5명이 참여해서, 100명에게 홍보하고 신규 이용자 10명 발굴, 홍보지 배부와 인적 사항 기록 등을 할 거야. 관리사무소에 보낼 장소 대관 협조 공문을 써줘.

생성형 AI 답변

생성형 AI 답변	[공문 제목: 희망복지관 사례관리팀 신규 사례 발굴 캠페인 장소 대관 요청] [수신] 108동 상가 관리사무소 [공문번호] 2025-사례관리-014 희망복지관 사례관리팀입니다. 우리 복지관은 지역 사회 내 취약계층에 대한 지원을 강화하고, 신규 이용자를 발굴하기 위한 캠페인을 기획하였습니다. 이에, 적극적인 협조를 부탁드리고자 합니다. [캠페인 개요] - 목적: 신규 사례 발굴 및 복지 서비스 홍보 - 일시: 2025년 5월 15일 (토) 14:00 ~ 16:00 - 장소: 108동 상가 앞 광장 - 대상: 지역주민 - 내용: 홍보지 배부, 사례관리팀과의 상담, 인적사항 기록 - 참여인원: 사례관리팀원 5명 위 캠페인을 위하여 귀 상가 앞 광장의 사용을 요청드립니다. 해당 행사를 통해 지역 사회의 복지 향상에 기여하고자 하며, 상가 주변의 활기를 불어넣을 수 있는 기회가 될 것으로 기대합니다. 장소 대관에 대한 협조를 부탁드리며, 행사 진행에 차질이 없도록 최선을 다해 준비하겠습니다. 대관 승인 및 관련 사항에 대한 회신은 2023년 4월 30일까지 부탁드립니다. 상가의 적극적인 협조에 미리 감사드리며, 추가 문의가 있으시면 언제든지 연락주시기 바랍니다. 감사합니다. 희망복지관 사례관리팀장 [이름] [전화번호] [이메일]

휴먼터치	여러분 기관의 공문 양식과 똑같은 답변을 받지 못했죠? 공문에는 문항별로 어떤 내용을 적어야 하는지 설명해 드릴게요. 1. 공문 글씨 크기는 상단에서 하단으로 갈수록 점점 작아집니다. 보통 기관명은 20~22포인트, 수신·경우·제목은 14포인트, 본문은 10~12포인트, 발송 기관명은 18 포인트, 하단은 9~10 포인트로 작성합니다. 2. 수신은 상대방 기관의 대표자를 적어줍니다. **회장, **이사장, **관장, **센터장으로 표기 합니다. 단, 같은 공문을 여러 곳에 동시에 발송 할 때는 수신에 '수신자 참고' 고 표기합니다. 3. 공문 제목은 공문 내용의 핵심만 축약하여 명사 중심으로 간략히 작성합니다. 4. 외부에서 공문이 먼저 왔다면 본문 1번에 외부 기관명 - 기안 번호 - 발송일자 순으로 작성합니다. 5. 본문 2번에는 이 문서를 왜 작성하는가 이유를 적습니다. "기관명"으로 시작하고, "~입니다.~합니다"로 마무리해요. 6. 공문 본문에는 6하 원칙이 모두 들어가게 작성합니다. 7. 추가 서류가 있을 때는 첨부 혹은 붙임으로 표기 후 작성하고, 마지막 글자에서 2칸 띄기를 하고 '끝'을 표기합니다. 8. 발신기관장 옆에 직인을 날인합니다. 9. 같은 공문을 여러 곳에 보낼 때는 '수신자 참고' 라고 표기 후, 발신기관명 하단에 수신기관을 나열합니다. 10. 하단에는 작성자와 관련된 정보를 기록합니다. 기관 주소, 홈페이지, 이메일, 연락처 등을 작성하여 발송합니다. 11. 공문에 클라이언트 개인 정보가 포함되어 있을 때는 제일 마지막 글자를 '비공개'로 작성하고, 그 외는 '공개'로 작성합니다.

생성형 AI + 휴먼터치 완성본 (수신자 1곳)

희망종합사회복지관

수 신 희망아파트 관리소장

경 유

제 목 캠페인 장소 대관 협조 요청

1. 희망종합사회복지관에서는 지역 사회 내 돌봄이 필요한 이웃을 신규 발굴하고 복지 서비스 홍보를 위한 캠페인을 위해 장소 대관 협조를 요청 드립니다.

가. 목적: 신규 사례 발굴 및 복지 서비스 홍보
나. 일시: 2025년 5월 15일 (토) 14:00 ~ 16:00
다. 장소: 108동 상가 앞 광장 부스 1개
라. 대상: 지역주민 100명
마. 내용: 홍보지 배부, 상담

2. 캠페인 장소 대관 승인 및 관련 사항에 대한 회신은 2025년 4월 24일까지 요청드립니다.

첨부 1. 캠페인 첨부 홍보지 1부.
2. 캠페인 행사 도면 1부. 끝.

희망종합사회복지관

담당 전안나 팀장 김철수 관장 홍길동
협조자
시행 희망복지관_045 접수
주소 서울시 사랑구 희망구 소망동 568호 홈페이지 www.hope..phg
전화 070-8080-3675 이메일 book365@kakao.com 공개

생성형 AI + 휴먼터치 완성본 (수신자 다수)

희망종합사회복지관

수 신 수신자 참고

경 유

제 목 캠페인 장소 대관 협조 요청

1. 희망종합사회복지관에서는 지역 사회 내 돌봄이 필요한 이웃을 신규 발굴하고 복지 서비스 홍보를 위한 캠페인을 위해 장소 대관 협조를 요청 드립니다.

가. 목적: 신규 사례 발굴 및 복지 서비스 홍보

나. 일시: 2025년 5월 15일 (토) 14:00 ~ 16:00

다. 장소: 108동 상가 앞 광장 부스 1개

라. 대상: 지역주민 100명

마. 내용: 홍보지 배부, 상담

2. 캠페인 장소 대관 승인 및 관련 사항에 대한 회신은 2025년 4월 24일까지 요청드립니다.

첨부 1. 캠페인 첨부 홍보지 1부.
 2. 캠페인 행사 도면 1부. 끝.

희망종합사회복지관

*수신자:희망1단지관리소장, 2단지관리소장

담당 전안나 팀장 김철수 관장 홍길동

협조자

시행 희망복지관_045 접수

주소 서울시 사랑구 희망구 소망동 568호 홈페이지 www.hope..phg

전화 070-8080-3675 이메일 book365@kakao.com 공개

2-5. 이메일

희망종합사회복지관 사례관리팀 신입 사회복지사로 신규 사례 발굴 캠페인을 위해 이메일 업무 프롬프트를 작성해 볼께요.

프롬프트

프롬프트	나는 희망복지관 사례관리팀 신입 사회복지사야. 신규 사례 발굴을 위한 캠페인을 준비하고 있어. 장소 대관 협조 공문을 써서 관리사무소에 이메일을 보내려고 해. 관리사무소에 보낼 이메일을 격식 갖춰 짧게 써줘

생성형 AI 답변

생성형 AI 답변	안녕하세요, 저희는 희망복지관 사례관리팀으로서, 신규 사례 발굴을 위한 캠페인을 준비하고 있습니다. 이를 위해 [장소명]의 대관을 요청하고자 합니다. 대관 기간은 [사용기간]이며, 대관에 필요한 절차와 서류, 그리고 사용 가능 일정에 대해 안내 부탁드립니다. 협조를 부탁드리며, 빠른 회신 부탁드립니다 [희망복지관 사례관리팀] [연락처]

전안나의 휴먼터치 TIP

휴먼터치	1. 이메일 제목은 10글자 내외로 짧게 작성합니다. 2. 본문 글씨는 12포인트로 한눈에 보이도록 작성합니다. 본문 내용은 길게 작성하지 않고 3~5줄 이내로 짧게 작성합니다. 전달할 내용이 복잡하고 길다면 첨부 문서를 활용합니다. 3. 작성자의 이름과 직통 연락처를 표기합니다.

생성형 AI + 휴먼터치 완성본

안녕하세요, 희망종합사회복지관입니다.

저희 기관에서는 신규 입주 주민에게 복지 정보를 알려드리기 위해 홍보 캠페인을 준비하고 있습니다.

일시: 2025년 5월 15일 (토) 14:00~16:00
내용: 108동 상가앞 광장 부스 1개 대관 요청

대관 가능한지 회신 부탁드립니다.
감사합니다.

희망복지관 사례관리팀 전안나 사회복지사
070-8080-3675

첨부문서 1. 대관 요청 공문 1부.
2. 행사 홍보지 1부.

2-6. 홍보지

희망종합사회복지관 사례관리팀 신입 사회복지사로 신규 사례 발굴을 위한 캠페인에 대해 지역 주민에게 알리는 홍보지 프롬프트를 작성해 볼께요.

프롬프트

프롬프트	나는 희망복지관 사례관리팀 신입 사회복지사야. 신규 사례 발굴을 위한 캠페인을 준비하고 있어. 2025년 5월 15일 2시부터 4시, 108동 상가 앞. 사례관리 팀원 5명, 100명에게 홍보하고 신규 이용자 10명 발굴, 홍보지 배부와 인적 사항 기록 등을 할거야. 이 내용으로 홍보지를 만들려고 해. 초등학생도 이해할 수 있도록 쉽게 적어줘

생성형 AI답변

생성형 AI	안녕하세요! 희망복지관 사례관리팀에서는 도움이 필요한 분들을 위해 캠페인을 진행합니다. 2025년 5월 15일 2시부터 4시까지 108동 상가 앞에서 캠페인을 진행할 예정입니다. 저희 캠페인은 도움이 필요한 분들을 찾아내고 지원하기 위한 것입니다. 캠페인을 통해 신규 이용자 10명을 발굴하고자 합니다.

답변	만약 도움이 필요하거나 주변에 도움이 필요한 분이 있다면, 캠페인에 참여해 주세요! 저희가 도와드릴 수 있습니다. 많은 참여 부탁드립니다. 감사합니다! 희망복지관 사례관리팀 드림

전안나의 휴먼터치 TIP

휴먼터치	1. 홍보지는 사회복지를 모르는 일반 국민들이 이해하기 쉽게 제작해야 합니다. 사회복지 전문 용어를 제외하고 쉬운 용어로 구어체로 작성합니다. 2. 생성형 AI를 활용하여 홍보지 제작 전 텍스트 글자를 작성 후, 미리 캔버스나 망고보드, 캔바 등의 프로그램을 활용하여 그림과 사진, 이미지 등이 50% 이상 들어가도록 제작하는 것이 가독성이 좋습니다. 3. 홍보지 작성에 사용하는 프로그램 1) 미리 캔버스 (일부 무료) ① 스마트폰 또는 인터넷 브라우저에서 [미리캔버스] 검색 ② https://www.miricanvas.com 직접 입력 ③ 로그인은 카카오톡, 네이버, 이메일, 구글, 페이스북 계정 2) 캔바 (일부 무료) ① 인터넷 브라우저에서 [캔바] 검색 ② https://www.canva.com/ko_kr 직접 입력 ③ 앱스토어에서 [캔바] 검색 ④ 로그인은 이메일, 구글, 페이스북, 애플 계정 3) 망고보드 (일부 무료) ① 인터넷 브라우저에서 [망고보드] 검색 ② https://www.mangoboard.net 직접 입력 ③ 로그인은 카카오톡, 네이버, 구글 계정

2-7. 블로그

희망종합사회복지관 사례관리팀 신입 사회복지사로 신규 사례 발굴 캠페인에 대해 지역 주민에게 알리는 블로그 프롬프트를 작성해 볼께요.

프롬프트

프롬프트	나는 희망복지관 사례관리팀 신입 사회복지사야. 신규 사례 발굴을 위한 캠페인을 준비하고 있어. 2025년 5월 15일 2시부터 4시, 108동 상가 앞에서 사례관리 팀원 5명, 100명에게 홍보하고 신규 이용자 10명 발굴, 홍보지 배부와 인적 사항 기록 등을 할 거야. 이 내용으로 블로그 글을 쓰려고 해. 친근감 있게 써줘

생성형 AI답변

생성형 AI 답변

안녕하세요, 희망복지관의 새내기 사회복지사입니다!
우리 희망복지관 사례관리팀에서 특별한 캠페인을 준비했어요. 바로 '신규 사례 발굴 캠페인'인데요, 주변에서 손길이 필요한 분들을 만나 도움을 드리고자 해요.
그럼, 캠페인의 따뜻한 현장으로 여러분을 초대합니다!

☞ 날짜: 2025년 5월 15일
☐ 시간: 오후 2시부터 4시까지
➶ 장소: 108동 상가 앞
❀ 참여 인원: 사례관리팀원 5명과 여러분 100명!

우리 팀원들이 준비한 홍보지를 통해, 복지관이 제공하는 다양한 서비스와 프로그램을 소개할 거예요. 또한, 이웃에 대한 따뜻한 관심을 갖고, 함께 인적자원 기록을 남겨요. 더 많은 이웃과 함께 할 수 있는 신규 이용자 10명을 발굴하는 게 이번 캠페인의 목표랍니다.

이 모든 일들이 어렵게만 느껴지신다고요? 걱정 마세요! 우리 사례관리팀이 함께할 테니까요. 여러분의 소중한 참여와 관심이 우리 동네에 희망을 전하는 데 큰 힘이 됩니다.

그럼, 희망 가득한 그 날, 108동 상가 앞에서 만나요!

#희망복지관 #사례관리팀 #신규사례발굴
#캠페인 #함께하는희망

전안나의 휴먼터치 TIP

휴먼터치	
휴 먼 터 치	1. 블로그는 20대~40대의 중장년 이용자가 많은 SNS입니다. 블로그에는 행사 뿐 아니라 사회복지 관련 정보를 정기적으로 작성해주면 더 좋답니다. 2. 블로그에 올릴 글은 정보 전달과 동시에 독자들의 참여를 유도하는 내용을 포함하는 것이 좋습니다. 친근하고 따뜻한 어조로 구어체로 작성하고, 세부 사항과 목적을 명확하게 전달하여 독자들의 관심을 끌 수 있도록 작성해 보세요. 3. 생성형 AI로 쓴 글을 파악할 수 있는 기술이 이미 있습니다. 아직 공식적으로 발표되지는 않았지만, 생성형 AI 글을 그대로 올리면 저품질로 될 수도 있으니, 글을 조금이라도 수정해서 올리세요. 4. 블로그 글은 글자 수 2,000~2,300자 이내로 작성하고, 사진 6~7장을 준비해 주세요. 사진 1장에 글 6~7줄, 사진 1장에 글 6~7줄을 넣는 식으로 편집해 주세요. 5. 블로그 글 작성 후에는 상단 바에서 '맞춤법'을 클릭하여 맞춤법 검사 후 '발행'을 클릭 합니다.

2-8. 인스타그램

희망종합사회복지관 사례관리팀 신입 사회복지사로 신규 사례 발굴 캠페인에 대해 지역 주민에게 알리는 인스타그램 프롬프트를 작성해 볼께요.

프롬프트

프롬프트	나는 희망복지관 사례관리팀 신입 사회복지사야. 신규 사례 발굴을 위한 캠페인을 준비하고 있어. 2025년 5월 15일 2시부터 4시, 108동 상가 앞에서 사례관리팀원 5명, 100명에게 홍보하고 신규 이용자 10명 발굴, 홍보지 배부와 인적 사항 기록을 할거야. 이 내용으로 인스타그램에 올릴 글을 이모티콘을 넣어서 쉽게 써줘

생성형 AI 답변

생성형 AI	★ 희망복지관에서 특별한 이벤트를 준비했습니다! ◗ ◷ 2025년 5월 15일, 오후 2시부터 4시까지 ❀ 108동 상가 앞에서 만나요! 우리 팀원 5명이 100명의 주민 여러분께 따뜻한 인사와 함께 홍보지를 전달하며, 복지 서비스가 필요한 이웃을 찾을 예정입니다.

답변	신규 이용자 ⑩명을 발굴하여 맞춤형 복지 서비스를 제공하려고 합니다. 여러분의 많은 관심과 참여 부탁드립니다! ❀ ❖ 홍보지를 받으시고, 궁금한 점이 있으시면 언제든지 우리 팀원에게 문의해 주세요. 여러분의 소중한 이야기를 기록하여 더 나은 서비스로 보답하겠습니다. #희망복지관 #사례관리 #캠페인 #신규사례발굴 #지역사회 #복지서비스 #함께하는희망 #복지향상

전안나의 휴먼터치 TIP

휴먼터치	1. 인스타그램은 10대~20대의 이용자가 많은 SNS로 이모티콘을 넣어 쉽게 작성합니다. 2. 인스타그램은 글 보다는 사진, 이미지 중심의 채널로 이미지는 최대 10장까지 등록 가능하고 최소 1장의 사진이나 이미지는 준비해야 합니다. 3. 글을 길게 쓰기 보다는 해시태크로 의사소통 한다는 마음으로 적어주세요. 해시태크 작성은 필수이며, 최대 30개 해시태그를 적을 수 있지만 9개 해시태그가 가장 도달률이 높습니다. 4. 생성형 AI로 인스타그램 글쓰기를 시키면 해시태크를 자동으로 생성해 주지만, 현재 사람들이 관심 있는 해시태그는 아닙니다. 인터넷 브라우저에서 [업스타태그]라고 검색 후, 관련 [키워드]를 입력하면 현재 가장 조회수가 높거나 좋아요가 많은 해시태그 정보를 알 수 있습니다. 해시태크를 몇 개만 변경해 줘도 도달률이 좋아집니다.

2-9. 페이스북

희망종합사회복지관 사례관리팀 신입 사회복지사로 신규 사례 발굴 캠페인에 대해 지역 주민에게 알리는 페이스북 프롬프트를 작성해 볼께요.

프롬프트

프롬프트	나는 희망복지관 사례관리팀 신입 사회복지사야. 신규 사례 발굴을 위한 캠페인을 준비하고 있어. 2025년 5월 15일 2시부터 4시, 108동 상가앞에서 사례관리팀원 5명, 100명에게 홍보 하고 신규 이용자 10명 발굴, 홍보지 배부와 인적사항 기록 등을 할거야. 이 내용으로 페이스북용으로 전문가스럽게 1.2.3.4.5. 번호를 붙여서 글을 써줘

생성형 AI 답변

생성형 AI 답변	희망복지관 사례관리팀에서 전하는 따뜻한 소식을 여러분과 나누고자 합니다. 1. 캠페인 소개: 우리는 사회적 돌봄이 필요한 이웃을 찾아 나서는 '신규 사례 발굴 캠페인'을 진행합니다. 2. 캠페인 일시 및 장소: 2025년 5월 15일, 오후 2시부터 4시까지, 108동 상가 앞에서 만나요. 3. 참여 인원: 헌신적인 사례관리팀원 5명이 현장에서 직접 여러분을 맞이할 예정입니다. 4. 캠페인 활동: 홍보지 배부를 통한 정보 제공과 함께, 인적사항 기록을 통해 맞춤형 서비스를 제안할 것입니다. * 여러분의 많은 관심과 참여, 그리고 따뜻한 응원 부탁드립니다. 희망복지관과 함께 더 밝은 내일을 만들어 갑시다! #희망복지관 #사례관리팀 #신규사례발굴 #캠페인 #지역사회 #함께하는희망

전안나의 휴먼터치 TIP

휴먼터치	1. 페이스북에서 가장 사용률이 높은 연령대는 35세에서 50세로, 전문 직업군이나 직장인, 사업가, 정치인, 사회복지기관의 관리자급, 예비 자원봉사자나 후원자들이 많습니다. 2. 페이스북은 글자 420자 이내, 사진 1~2장으로 작성합니다. 만약 내용이 길다면 1.2.3.4.5. 번호를 붙여서 개조식으로 작성하는 것을 추천합니다. 3. 페이스북 해시태크는 여러 개 작성 가능하지만, 1개 표기했을 때 가장 도달률이 높습니다.

2-10. 프로그램 평가서

희망종합사회복지관 사례관리팀 신입 사회복지사로 신규 사례 발굴을 위한 캠페인 진행 후 평가서 프롬프트를 작성해 볼께요.

프롬프트 (1)

프롬프트	나는 희망복지관 사례관리팀 신입 사회복지사야. 신규 사례 발굴을 위한 캠페인을 진행했어. 2025년 5월 15일 2시부터 4시, 108동 상가앞, 사례관리팀원 5명, 100명에게 홍보하고 신규 이용자 10명 발굴, 홍보지 배부와 인적 사항 기록 등을 했어. 이 내용으로 평가서를 작성해 줘

생성형 AI 답변 (1)

생성형 AI 답변	활동 내용: * 사례관리팀원들은 108동 상가앞에서 14:00에 모여 캠페인 준비를 시작함. * 팀원들은 103명에게 사례관리팀에 대한 홍보를 하였으며, 신규 이용자 9명을 발굴하였음. * 팀원들은 16:00까지 캠페인을 진행하였으며, 이후 활동에 대한 평가를 진행하였음.

생성형 AI 답변	평가: * 캠페인은 성공적으로 진행되었으며, 사례관리팀에 대한 인지도를 높이는 데 성공하였음. * 신규 이용자 9명을 발굴하여, 사례관리팀의 목표 달성에 큰 역할을 하였음. * 캠페인 진행 시, 팀원들 간의 원활한 소통과 협력이 이루어졌으며, 이를 통해 효과적인 홍보가 가능하였음. 개선점: * 캠페인 진행 시, 더 많은 홍보 자료를 준비하여 더 많은 사람들에게 사례관리팀에 대한 정보를 전달할 수 있도록 노력해야 함. * 캠페인 진행 시, 더 많은 팀원들이 참여할 수 있도록 하여, 더 많은 사람들에게 홍보를 할 수 있도록 해야 함. 결론: 2025년 5월 15일 사례관리팀 신규 사례 발굴 캠페인은 성공적으로 진행되었으며, 사례관리팀의 목표 달성에 큰 역할을 하였음. 향후에는 더 많은 홍보 자료와 팀원들의 참여를 통해, 더 많은 사람들에게 사례관리팀에 대한 정보를 전달할 수 있도록 노력해야 함.

전안나의 휴먼터치 TIP

휴먼터치	평가서 결과가 만족스럽지 않더라도, 포기하지 말고 다시 프롬프트를 입력 해볼께요. 평가서가 무엇인지 잘 모르는 것 같군요. 이럴 때는 어떤 항목을 적으면 좋을지를 개방형 질문을 입력하는 것이 좋습니다.

프롬프트 (2)

프롬프트	나는 희망복지관 사례관리팀 신입 사회복지사야. 신규 사례 발굴을 위한 캠페인을 진행했어. 2025년 5월 15일 2시부터 4시, 108동 상가앞사례관리팀원 5명, 100명에게 홍보 하고 신규 이용자 10명 발굴, 홍보지 배부와 인적 사항 기록 등을 했어. 이 내용으로 평가서를 작성 하려고해. 어떤 항목이 들어가야 할지 알려줘

생성형 AI 답변 (2)

생성형 AI 답변	캠페인 평가서 작성에 필요한 항목은 다음과 같습니다: 1. 캠페인 목적: 캠페인의 목표와 의도를 설명합니다. 2. 대상 및 대상 선정 기준: 캠페인 대상인 103명의 대상자와 신규 이용자 9명의 선정 기준을 설명합니다. 3. 캠페인 내용: 캠페인의 내용, 방법, 프로모션 전략 등을 설명합니다. 4. 캠페인 결과: 캠페인의 성과를 정량적, 정성적으로 설명합니다. 5. 성과 평가: 캠페인의 성과를 평가하고, 성과와 목표의 부합 여부를 설명합니다. 6. 개선점: 캠페인의 진행 과정에서 발견된 문제점과 개선점을 제시합니다. 7. 결론 및 향후 계획: 캠페인의 결과를 종합하여 결론을 도출하고, 향후 캠페인에 대한 계획을 제시합니다.

프롬프트 (3)

프롬프트	(답변에 이어서) 이 내용을 포함해서 평가서를 작성해 줘

생성형 AI 답변 (3)

생성형 AI 답변	캠페인 평가서 1. 캠페인 목표 및 목적 : 이번 캠페인의 주요 목표는 희망복지관의 서비스를 더 많은 이용자에게 알리고, 신규 이용자를 발굴하는 것이었습니다. 이를 통해 지역사회의 복지 수준 향상에 기여하는 것을 목적으로 삼았습니다. 2. 홍보 활동 : 홍보 활동으로는 108동 상가 앞에서의 홍보 활동을 중심으로, 전단지 배부, 개인적인 홍보, 그리고 소셜 미디어를 통한 홍보를 진행했습니다. 이를 통해 희망복지관의 서비스를 다양한 경로로 알릴 수 있었습니다. 3. 인력 및 자원: 이번 캠페인을 위해 상가앞사례관리팀원 5명이 참여하였습니다. 또한, 홍보 지원을 위해 추가적으로 2명의 자원봉사자를 모집하여 활동에 참여했습니다. 4. 홍보 대상 및 대상층 : 홍보 대상은 주로 지역 주민들이었습니다. 저희는 특히 경제적으로 취약한 이웃들을 중심으로 서비스를 홍보하고자 하였습니다. 5. 성과 및 결과: 캠페인 기간 동안 총 100명의 지역 주민들에게 직접 홍보를 진행하였고, 이를 통해 10명의 신규 이용자를 발굴할 수 있었습니다. 이는 목표로 설정한 결과에 부합하는 성과 이루었습니다. 6. 향후 계획: 향후에는 더 다양한 홍보 채널을 활용하여 더 많은 이용자를 유치하고, 기존 이용자들에 대한 서비스 품질을 향상시키는데 초점을 맞출 것입니다. 또한, 지속적인 모니터링과 평가를 통해 캠페인의 효율성을 높일 계획입니다. 7. 의견 및 개선점: 이번 캠페인에서는 홍보 활동의 다양성을 높이는 것이 중요하다는 점을 배웠습니다. 더 다양한 채널과 방법을 활용하여 더 많은 이용자들에게 접근할 수 있도록 노력할 것입니다.

프롬프트 (4)

프롬프트	(답변에 이어서) 이 내용을 포함해서 평가서를 작성할 거야 과정 평가와 성과 평가 항목으로 구분해서 다시 적어줘.

생성형 AI 답변 (4)

생성형 AI 답변	1. 과정 평가 -목표: 이번 캠페인의 주요 목표는 희망복지관의 서비스를 더 많은 이용자에게 알리고, 신규 이용자를 발굴하는 것이었습니다. -홍보 활동: 전단지 배부, 개인적인 홍보, 소셜 미디어 활용 등 다양한 홍보 활동을 펼쳤습니다. -인력: 사례관리팀원 5명 및 자원봉사자 2명이 참여하였습니다. -자원: 홍보물 제작 및 배포를 위한 자금 및 재화를 지원하였습니다. 2. 성과 평가 - 홍보 대상: 지역 주민을 중심으로 홍보를 진행하였습니다. 경제적으로 취약한 이웃들을 주요 대상으로 설정하였습니다. - 홍보 대상자: 100명의 지역 주민에게 홍보를 진행하였습니다. - 결과: 캠페인동안 10명의 신규 이용자를 발굴하였습니다.

전안나의 휴먼터치 TIP

휴먼터치

평가서에 넣어야 하는 문항에 대해 기본 이해를 하겠습니다. 평가는 크게 2가지로 구분됩니다.

형성/과정 평가와 총괄/성과 평가입니다.

구분	형성/과정 평가	총괄/성과 평가
측정 내용	대상자 모집, 홍보 활동, 프로그램 내용, 프로그램 진행률, 출석률, 투입 자원, 전문성, 참여자 반응등 프로그램 질의 적절성	평가 지표 설정, 지표 적절성, 측정 도구, 평가 조사 설계 유형 등 프로그램 목표 달성
평가 이유	과정을 점검해서 더 잘해 볼 방법 찾아서, 성공적으로 프로그램 진행	성과를 점검해서 중단/유지 판단 하기 위해

1. 형성(과정) 평가는 대상자 모집, 홍보 활동, 프로그램 내용, 프로그램 진행률, 출석률, 투입 자원, 전문성, 참여자 반응 등 프로그램의 질을 측정하는 것으로 과정을 점검해서 더 잘해볼 방법 찾아서, 성공적으로 프로그램 진행 하는 것을 목표로 합니다.

형성(과정) 평가서에 작성해야 하는 내용은
① 사전 준비 단계에서 대상자 모집, 홍보 활동, 자원 확보, 대상자 선정 적절성에 대해 평가하여 기록합니다.

② 진행 과정에서는 프로그램 목표별 수행 내용, 내용의 적절성, 주요 진행 평가, 참여자 반응, 진행률, 출석률, 실적 달성률과 인적, 기자재, 네트워크, 자연, 예산 등 자원에 대한 평가와 기관의 업무량, 업무 시간, 슈퍼비전에 대해 평가하여 기록합니다.

휴먼터치

2. 총괄(성과) 평가는 평가 지표 설정, 지표 적절성, 측정 도구, 평가 조사 설계 유형 등 프로그램 목표 달성을 평가하는 것으로 성과를 점검해서 중단 혹은 유지 여부를 판단하기 위해 작성합니다.

총괄(성과) 평가는 모든 프로그램이 끝난 후
③ 목표 설정 평가로 평가 지표, 측정 도구, 지표 적절성을 평가하고, 목표 달성에 대한 평가를 작성합니다.

④ 이용자 변화를 담당자, 참여자, 자원봉사자, 슈퍼바이저 등 다양한 이해관계자 의견 반영하여 기록합니다.

<table>
<tr><th>형성/과정 평가</th><th>총괄/성과 평가</th></tr>
<tr><td>① 사전 준비 과정에서 대상자 모집, 홍보 활동, 자원 확보, 대상자 선정 적절성</td><td rowspan="2">③ 진행 후에 목표 설정 평가로 평가 지표, 측정 도구, 지표 적절성, 목표 달성에 대한 평가

④ 진행 후에 이용자 변화로 담당자, 참여자, 자원봉사자, 슈퍼바이저등 다양한 이해관계자 의견 반영</td></tr>
<tr><td>② 진행 중에
- 프로그램: 목표별 수행 내용, 내용의 적절성, 주요 진행 평가, 참여자 반응, 진행률, 출석률, 실적 달성률 등
-자원: 인적, 기자재, 네트워크, 자연, 예산 등
-기관: 업무량, 업무시간, 슈퍼비전 등의 적절성</td></tr>
</table>

3부. 사업·프로그램 프롬프트(2)

3부에서는 지역아동센터에서 일하는 사회복지사가
아이들과 봄소풍 문화체험을 한다고 가정하에
스토리텔링 후원제안서. 계획서, 홍보지, 신청서,
사업 진행 체크리스트, 일정표와 비상연락망,
평가서, 소식지, 보도자료, 카드뉴스 작성
업무용 글쓰기 프롬프트를 알려드립니다.

3-1. 스토리텔링 후원제안서

희망지역아동센터 초등 담당 사회복지사로 문화 체험을 앞두고 예산 확보용 스토리텔링 후원 제안서 프롬프트를 작성해 볼께요.

프롬프트 (1)

프롬프트	나는 지역아동센터에서 초등학생을 만나는 사회복지사야. 아이들과 어린이대공원에 봄 소풍을 가려고 해. 한 부모 가족, 다문화 가족, 조손 가족 아이들 20명과 대학생 자원봉사자 5명, 사회복지사 2명이 함께 가는데 예산 200만 원이 필요해서 모금 제안서를 쓸 거야. 스토리텔링 후원 제안서를 기,승,전,결 순으로 적어줘

생성형 AI 답변 (1)

생성형 AI 답변	기: 초등학생들과 함께 봄 소풍을 즐기기 위해 어린이대공원을 방문합니다. 한부모 가족, 다문화가족, 조손 가족의 아이들 20명과 대학생 자원봉사자 5명, 사회복지사 2명이 함께 참여합니다. 승: 봄 소풍을 통해 아이들에게 자연과 문화를 경험할 수 있는 기회를 제공하고, 그들의 사회화와 자아개발을 도모합니다. 또한, 자원봉사자들은 멘토링과 지원을 통해 아이들의 성장과 발전을 돕습니다. 전: 이 소풍을 위해 200만원의 예산이 필요합니다. 이 예산은 교통비, 식사, 활동비 등을 포함하며, 아이들과 자원봉사자들의 안전과 편의를 위한 사항에도 사용됩니다. 예산 조달을 위해 스토리텔링 후원제안서를 작성하고 있습니다. 결: 이 소풍은 아이들에게 즐거운 추억과 소중한 경험을 선사할 것입니다. 예산을 후원해 주시면 한부모 가족, 다문화가족, 조손 가족의 아이들과 대학생 자원봉사자들이 함께하는 소중한 시간을 만들 수 있을 것입니다. 감사의 말씀과 함께 후원을 부탁드립니다.

전안나의 휴먼터치 TIP (1)

휴먼터치	결과가 만족스럽지 않다면 기, 승, 전, 결 항목별로 어떤 내용을 넣었으면 좋겠는지 프롬프트를 자세히 다시 입력하면 답변이 달라지게 됩니다.

프롬프트 (2)

프롬프트	나는 지역아동센터에서 초등학생을 만나는 사회복지사야. 아이들과 어린이 대공원에 봄 소풍을 가려고 해. 한부모 가족, 다문화 가족, 조손 가족 아이들 20명과 대학생 자원봉사자 5명, 사회복지사 2명이 함께 가는데 예산 200만 원이 필요해서 스토리텔링 후원 제안서를 쓸 거야. 기, 승, 전, 결 순으로 기에는 한부모 가족, 다문화 가족, 조손 가족 아이들이 가는 문화 체험이라는 것, 승에는 평소에 문화 체험을 하기가 힘든 상황이라는 것, 전에는 문화 체험을 다녀오면 아이들에게 좋은 점, 결에는 200만원의 사용 내용을 넣어서 후원을 하도록 유도하는 글을 적어줘

생성형 AI 답변 (2)

생성형 AI 답변	기: 저는 지역아동센터에서 초등학생을 만나는 사회복지사입니다. 이번에는 아이들과 함께 어린이 대공원에 봄 소풍을 가기로 했습니다. 한부모 가족, 다문화 가족, 조손 가족 아이들 20명과 대학생 자원봉사자 5명, 사회복지사 2명이 함께 참여합니다. 승: 이번 봄 소풍은 평소에 문화 체험을 하기가 힘든 아이들에게 좋은 기회가 될 것입니다. 어린이대공원에서는 아이들이 자연과 문화를 경험하며, 그들의 사회화와 자아 개발을 도모할 수 있습니다. 전: 봄 소풍을 다녀오면 아이들은 새로운 경험과 추억을 가지게 될 것입니다. 또한, 이번 소풍을 통해 아이들의 인간관계 형성과 자아개발에도 도움이 될 것입니다. 결: 이번 봄 소풍을 위해 200만원의 예산이 필요합니다. 이 예산은 교통비, 식사, 활동비 등을 포함하며, 아이들과 자원봉사자들의 안전과 편의를 위한 사항에도 사용됩니다. 예산 조달을 위해 스토리텔링 후원제안서를 작성하고 있습니다. 많은 분들의 관심과 후원 부탁드립니다. 함께해주세요!

전안나의 휴먼터치 TIP (2)

휴먼터치	스토리텔링 후원제안서는 기승전결순으로 작성합니다. 1. '기'에는 클라이언트에 대한 기본 소개를 적어주세요. 나들이를 가는 클라이언트가 어떤 사람인지 알려주세요. 2. '승'에는 클라이언트가 어떤 어려움을 가졌는지 적어주세요. 왜 문화체험을 가야하는지, 평소에 잘 가지 못했던 이유 등을 적어주면 좋습니다. 3. '전'에는 그 어려움을 해결하기 위한 여러분의 노력, 전문적인 개입을 가능한 구체적이고 자세하게 적어주세요. 모금액의 사용 내역이 무엇인지 구체적이고 상세하게 적어주면 예비 후원자들에게 신뢰감을 줄수 있습니다. 4. '결'에는 이 모금이 성공적으로 이끌기 위해 모금에 실제로 참여하는 행동을 촉구하는 글을 적어서 실제 모금으로 이어지도록 동기부여를 해주세요. 생성형 AI가 적어준 글에서는 여러분의 구체적인 실천 사례가 잘 보이지 않습니다. 실제 클라이언트가 했던 말이나 일화를 넣어주시면 생생하게 읽힙니다.

3-2. 프로그램 계획서

희망지역아동센터 초등 담당 사회복지사로 문화체험 프로그램 계획서 프롬프트를 작성해 볼께요.

프롬프트

프롬프트	나는 지역아동센터에서 초등학생을 만나는 사회복지사야. 아이들과 어린이 대공원에 봄 소풍을 가려고 해. 아이들 20명과 자원봉사자 5명, 사회복지사 2명이 함께 가는데 예산은 100만 원이야. 프로그램명, 일시, 장소, 대상, 예산 항목을 넣어서 계획서를 쓰려고 해. 공식적인 문어체로 작성해 줘

생성형 AI 답변

생성형 AI 답변	계획서 프로그램명: 봄맞이 어린이대공원 소풍 일시: 2025년 5월 10일 (토요일) 장소: 서울 어린이대공원 대상: 지역아동센터 초등학생 20명, 자원봉사자 5명, 사회복지사 2명 예산: 100만원

생성형 AI 답변

1. 사업 개요

: 본 사업은 지역아동센터 초등학생들에게 즐거운 봄 소풍 경험을 제공하기 위한 것으로, 자원봉사자와 사회복지사들의 지원을 받아 진행됩니다. 서울 어린이대공원을 방문하여 다양한 활동을 통해 아이들의 즐거운 시간을 보낼 수 있도록 하는 것이 목표입니다.

2. 예산 항목

가. 교통비: 버스 대여 및 주유비 - 40만원

나. 식비: 점심 도시락 및 간식 - 20만원

다. 입장료 및 활동비: 공원 입장료 및 놀이시설 이용료 20만원

라. 준비물: 물티슈, 비상약품 등 - 5만원

마. 기타 경비: 예비비 등 - 15만원

3. 활동 계획

가. 버스 탑승: 지역아동센터에서 버스를 이용하여 어린이대공원으로 이동합니다.

나. 어린이대공원 도착: 어린이대공원에 도착하여 가이드 투어를 진행합니다.

다. 동물원 탐방: 동물원을 방문하여 다양한 동물들을 관찰하고 배울 수 있는 시간을 가집니다.

라. 식물원 탐방: 식물원을 방문하여 다양한 식물들을 관찰하고 배울 수 있는 시간을 가집니다.

마. 피크닉: 준비한 도시락으로 피크닉을 즐깁니다.

바. 놀이시설 이용: 어린이대공원의 놀이시설을 이용하여 즐거운 시간을 보냅니다.

사. 꽃구경 및 자연 관찰: 공원 내에서 꽃을 구경하고 자연을 관찰하는 시간을 가집니다.

아. 버스 탑승: 어린이대공원에서 버스를 이용하여 지역아동센터

생성형 AI 답변	로 돌아갑니다. 4. 기대효과 가. 아이들은 즐거운 봄소풍 경험을 통해 새로운 친구들과 함께 즐거운 시간을 보낼 수 있습니다. 나. 자원봉사자들과 사회복지사들은 아이들과 함께 소통하며 도움을 주는 경험을 할 수 있습니다. 다. 지역아동센터와 지역 사회의 협력 관계를 강화할 수 있습니다. 5. 추진 일정 가. 2025년 4월 10일: 사업 계획 수립 및 예산 편성 나. 2025년 4월 15일: 자원봉사자 모집 및 선정 다. 2025년 4월 20일: 교통 및 입장권 예약 라. 2025년 5월 10일: 봄맞이 어린이대공원 소풍 진행 마. 2025년 5월 15일: 사업 결과 보고 및 평가

전안나의 휴먼터치 TIP

휴먼터치	1. 여러분이 근무하는 기관의 프로그램 계획서 양식에 따라 항목별로 표 또는 세부 내역을 넣어서 작성해주세요. 2. 활동 계획이나 추진 일정을 생성형 AI가 임의로 작성하였으니 여러분의 실제 실행 계획에 맞게 수정이 꼭 필요합니다.

3-3. 홍보지

희망지역아동센터 초등 담당 사회복지사로 아이들 가정으로 보내는 문화체험 홍보지 프롬프트를 작성해 볼께요.

프롬프트

프롬프트	(앞 내용에 이어서 작성할 때) 이 내용으로 홍보지를 만들려고 해. 초등학생과 보호자가 이해할 수 있도록 쉽게 적어줘

생성형 AI 답변

생성형 AI 답변	[봄나들이] 안녕하세요! 저희는 지역아동센터에서 초등학생들을 대상으로 봄나들이를 준비하고 있어요! 날짜: 2025년 5월 10일 토요일 장소: 어린이대공원 (서울 광진구) 참가 대상: 초등학생 (지역아동센터 이용 아동 우선) 및 보호자 참가비: 무료 (교통비, 식사, 입장료 등 모두 지원)

생성형 AI 답변	활동 내용: - 동물원 구경 - 식물원 구경 - 놀이동산에서 놀이기구 타기 - 피크닉 (점심 도시락 제공) - 다양한 체험 활동 (예: 동물 먹이 주기, 꽃꽂이 등) 신청 방법: [신청 링크] 에 접속하셔서 신청서를 작성해주세요. 선착순으로 모집합니다. 문의 사항: [전화번호] 또는 [이메일] 로 문의해주세요. 많은 참여 부탁드립니다!

전안나의 휴먼터치 TIP

휴먼터치	1. 앞에 내용에 이어서 글을 쓸 때는 자기 소개, 배경 설명을 다시 적지 않고 "이 내용으로 ~글을 쓸 거야"라고 프롬프트를 입력하면 앞 내용에 이어서 답변을 생성합니다. 2. 프로그램 홍보지는 글자로만 적는 것 보다 실제 문화체험 장소 사진이 들어가면 이해가 잘 되겠지요? 3. 홍보지의 글씨는 우리 글을 읽는 '독자'중심으로 작성하는 것이 필요합니다. 초등학교 1학년 아이용이라면 최소 18포인트 이상, 조부모님이 보는 용도라면 최소 25포인트로 작성합니다. 4. 다문화 가정 부모님이 보는 용도라면 파파고(papago) 혹은 디플(deepl) 등의 앱을 활용하여 다양한 언어로 번역이 가능합니다.

3-4. 신청서

희망지역아동센터 초등 담당 사회복지사로 아이들 가정으로 보낼 문화 체험 신청서 프롬프트를 작성해 볼께요.

프롬프트

프롬프트	(이어서 작성할 때) 이 내용으로 참가 신청서를 적어줘

생성형 AI 답변

생성형 AI 답변	[봄나들이 참가 신청서] 참가자 정보: 이름 성별 나이 이메일 보호자 정보: 이름 전화번호 참가자 건강 상태 * 알레르기: * 질병: * 기타 특이사항: 위 내용으로 봄나들이에 참가하는 것에 동의합니다. 날짜: 서명:

전안나의 휴먼터치 TIP

휴먼터치	여러분 기관의 기존 신청서 양식에 맞게 수정이 필요합니다. 일반적으로 프로그램 신청서에는 참가자 정보, 건강이나 알레르기 등에 대한 특이 사항, 준비물, 긴급 연락처 등을 넣어서 제작합니다.

3-5. 사업 진행 체크리스트

희망지역아동센터 초등 담당 사회복지사로 문화 체험 프로그램 준비를 위한 체크리스트 프롬프트를 작성해 볼께요.

프롬프트

프롬프트	(이어서 작성할 때) 이 내용으로 봄나들이 전 준비 사항을 체크리스트로 만들어줘

생성형 AI 답변

생성형 AI 답변	1. 소풍 일자, 장소, 참여 인원 등을 사전에 안내한다. 2. 비옷, 우산 등 우천 대비 물품을 준비한다. 3. 각 어린이의 알레르기 및 식습관 요구사항을 고려하여 식단을 계획한다. 4. 소풍 장소와 관련된 안전 규칙을 미리 설명한다. 5. 비상 연락처를 모든 인솔자에게 제공한다. 6. 비상용 의약품(해열제, 붕대, 소독제 등) 준비한다. 7. 인솔자와 아동 비상 연락처 명단을 만든다. 8. 장소의 교통편을 미리 확인하고 예약한다. 9. 장소의 시설(피크닉 테이블, 놀이터 등)을 예약한다. 10. 소풍 장소와 관련된 날씨 예보를 확인하고 필요에 따라 대비 계획을 세운다. 11. 인솔자들에게 응급 처치, 안전 교육을 실시한다. 12. 소풍 장소 주변 환경과 안전에 대해 조사한다. 13. 소풍 장소의 규칙과 규정을 사전에 확인한다. 14. 소풍 일정을 계획하고 역할을 분담한다. 15. 음식점, 화장실, 응급 시설 등의 위치를 파악한다. 16. 소풍에서 발생할 수 있는 위험 요소에 대비한다. 17. 활동에 관련된 필요한 장비, 물품을 준비한다. 18. 소풍 행동 규칙을 사전에 알리고 설명한다. 19. 소풍 활동을 위한 다양한 옵션을 계획한다. 20. 참가자들에게 필요한 준비물을 안내하고 확인한다.

전안나의 휴먼터치 TIP

휴먼터치	생성형 AI의 답변 중 우리 기관과 클라이언트 상황에 맞는 항목을 중심으로 적용합니다. 사회복지 기관은 문화 체험전에 사전 답사를 가는 경우도 있고, 여행자 보험 가입은 필수이니 이 부분은 여러분이 추가로 체크리스트에 넣어주세요.

3-6. 일정표과 비상연락망

희망지역아동센터 초등 담당 사회복지사로 문화 체험 프로그램 전 일정표와 비상 연락망 프롬프트를 작성해 볼께요.

프롬프트

프롬프트	(이어서 작성할 때) 이 내용으로 개인별로 나눠줄 일정표와 비상 연락망을 만들려고 해. 쉽게 적어줘

생성형 AI 답변

생성형 AI 답변	일정표: 9:00 - 지역 아동센터 집합 9:15 - 버스 탑승 9:30 - 어린이 대공원 도착 9:45 - 가이드 투어 시작 10:30 - 대공원 탐방 (동물원, 식물원 등) 11:30 - 피크닉 (점심 식사) 12:30 - 놀이터에서 놀이 13:30 - 꽃구경 및 자연 관찰 14:30 - 버스 탑승 15:00 - 지역 아동센터 도착 후 해산 비상 연락망: 1. 사회복지사: [귀하의 이름과 연락처] 2. 자원봉사자: [자원봉사자 이름과 연락처] 3. 센터장 : [센터장 이름과 연락처]

전안나의 휴먼터치 TIP

휴먼터치	문화 체험시는 일정표와 함께 비상 연락망을 함께 제작하여 명찰 뒤에 넣어주면 비상시 활용 가능합니다.

3-7. 프로그램 평가서

희망지역아동센터 초등 담당 사회복지사로 문화 체험 프로그램을 다녀온 후 평가서 프롬프트를 작성해 볼께요.

프롬프트 (1)

프롬프트	나는 지역아동센터에서 초등학생을 만나는 사회복지사야. 아이들과 어린이 대공원에 봄 소풍을 다녀왔어. 만족도가 높았고. 날씨는 비가 왔지만 잘 되었다는 평가서를 작성하려고해. 어떤 내용이 들어가야 할지 알려줘

생성형 AI 답변 (1)

생성형 AI	1. 소풍 일자, 장소, 참여 인원 등 기본 정보를 자세히 기록 해주세요. 2. 날씨에 대해 언급하며, 비가 왔지만 잘 대처했다는 점을 강조해주세요. 3. 아이들이 즐긴 활동과 놀이를 기술하고, 그들이 즐거워했던 순간을 기록해주세요. 4. 아이들이 배운 교훈이나 새로운 경험을 언급 해주세요. 5. 소풍 중 문제나 사고 발생시 대처 방법을 기술 해주세요.

답변	6. 소풍에 대한 아이들의 평가나 피드백을 포함시켜주세요. 7. 마지막으로, 소풍을 성공적으로 마친 것에 대한 감사 인사와 함께 다음 소풍에 대한 기대를 언급해주세요.

프롬프트 (2)

프롬프트	이 내용을 포함해서 평가서를 적어줘

생성형 AI 답변 (2)

생성형 AI 답변	평가서 날짜: 2025년 4월 20일 제목: 지역아동센터 봄 소풍 평가서 - 어린이 대공원 소풍 일자: 2025년 4월 15일 참여 인원: 총 25명 (초등학생 20명, 인솔자 5명) 날씨: 당일 비가 내렸지만, 사전에 준비한 우산과 우비를 착용하여 잘 대처했습니다. 활동: 1. 어린이 대공원 도착 후, 가이드 투어를 통해 다양한 동식물과 공원의 역사, 문화 등을 배웠습니다. 2. 봄 소풍의 휴먼라이트인 피크닉 시간을 가졌습니다. 아이들은 맛있는 음식을 함께 나누며 즐거운 대화를 나누었습니다. 3. 공원 내의 놀이터에서 아이들이 자유롭게 뛰어놀고, 미끄럼틀, 그네, 모래놀이 등을 즐겼습니다. 4. 봄을 맞이하여 꽃 구경을 하며, 꽃의 종류와 특징에 대해 배웠습니다.

생성형 AI 답변	교훈 및 새로운 경험: 1. 아이들은 비 오는 날에도 즐거운 소풍을 즐길 수 있다는 것을 배웠습니다. 2. 함께 협력하여 문제를 해결하는 능력을 키웠습니다. 3. 자연 속에서 새로운 동식물을 관찰하고 배우는 경험을 했습니다. 4. 다양한 친구들과 함께 소통하고 교류하는 기회를 가졌습니다. 문제 대처: 1. 비가 오는 날씨에도 불구하고, 사전에 준비한 우산과 우비를 착용하여 아이들이 건조한 상태로 소풍을 즐길 수 있었습니다. 2. 미끄러운 바닥에 대한 주의를 주고, 안전에 최선을 다하였습니다. 아이들의 평가 및 피드백: "비가 와도 소풍이 너무 재미있었어요!" - 한서연 (10세) "다양한 동식물을 보고 배울 수 있어서 좋았어요!" - 김지훈 (11세) "친구들과 함께 뛰어놀고, 맛있는 음식을 먹을 수 있어서 행복했어요!" - 이예린 (9세) 마무리: 지역아동센터 봄 소풍을 성공적으로 마칠 수 있도록 도와주신 모든 분들께 감사드립니다. 아이들은 다양한 경험과 즐거움을 얻었으며, 봄의 아름다움을 함께 느낄 수 있었습니다. 앞으로도 아이들과 함께 다양한 활동을 계획하고, 즐거운 시간을 보낼 수 있도록 노력하겠습니다. 감사합니다. 지역아동센터 사회복지사 [이름]

휴먼터치	평가서에 작성해야 하는 내용은 크게 4가지 항목으로 나누어 볼 수 있습니다. 1. 사전 준비 단계에서 대상자 모집, 홍보 활동, 자원 확보, 대상자 선정 적절성에 대해 평가하여 기록합니다. 2. 진행 과정에서는 프로그램 목표별 수행 내용, 내용의 적절성, 주요 진행 평가, 참여자 반응, 진행률, 출석률, 실적 달성률과 인적, 기자재, 네트워크, 자연, 예산 등 자원에 대한 평가와 기관의 업무량, 업무 시간, 슈퍼비전에 대해 평가하여 기록합니다. 3. 목표 설정 평가로 평가 지표, 측정 도구, 지표 적절성을 평가하고, 목표 달성에 대한 평가를 작성합니다. 4. 이용자 변화를 담당자, 참여자, 자원봉사자, 슈퍼바이저 등 다양한 이해관계자 의견 반영하여 기록합니다. 평가서는 만족도 조사 결과, 간담회, 평가회, 실무자 회의 등을 통해 실제 클라이언트와 이해관계자 등의 평가를 기반으로 사실적으로 작성해야 합니다.

3-8. 소식지

희망지역아동센터 초등 담당 사회복지사로 문화 체험 프로그램을 다녀온 후 소식지 프롬프트를 작성해 볼께요. 1차 프롬프트는 기관 전체 소식지 제작용, 2차 프롬프트는 문화 체험에 대한 소식지 프롬프트입니다.

기관 전체 소식지 프롬프트 (1)

프롬프트	나는 지역아동센터에서 일하는 홍보 담당자야. 지역아동센터 소식지를 만들려고 해. 어떤 내용으로 구성해야 하는지 알려줘

생성형 AI 답변 (1)

생성형 AI	1. 인사말: 센터장이나 담당자의 인사말로 시작하여 지역아동센터 소식지의 목적과 주요 내용을 소개합니다. 2. 센터 소식 및 업데이트: 최근 진행된 프로그램, 이벤트 또는 활동의 소식과 사진을 공유하고, 앞으로 예정된 행사나 활동에 대한 정보를 제공합니다.

답변	3 우수 활동 사례: 아이들의 창의력이나 성취를 보여주는 우수 활동 사례를 소개하여 다른 아이들에게도 영감을 줍니다. 4. 부모님을 위한 팁과 정보: 부모님을 위한 교육, 양육 팁이나 지역 사회 자원 정보 등을 포함하여 가정에서도 활용할 수 있는 유용한 정보를 제공합니다. 5. 자원봉사자 및 후원자 소개: 센터를 돕는 자원봉사자나 후원자를 소개하여 감사의 마음을 전하고, 더 많은 사람들의 참여를 독려합니다. 6. 자주 묻는 질문(FAQ): 센터 이용과 관련하여 자주 묻는 질문들에 대한 답변을 모아 소개합니다.

문화체험 소식지 프롬프트 (2)

프롬프트	나는 지역아동센터에서 초등학생을 만나는 사회복지사야. 아이들과 어린이 대공원에 봄 소풍을 다녀왔어. 만족도가 높았고, 날씨는 비가 왔지만 잘 다녀왔다는 내용으로 소식지 글을 적으려고 해. 10줄 이내로 짧게 6하 원칙을 넣어서 적어줘

생성형 AI 답변 (2)

생성형 AI	비 오는 봄소풍, 아이들과 함께 특별한 추억을 만들다 일시: 4월 15일 (토) 장소: 어린이대공원 참석자: 지역아동센터 초등학생들 지난 토요일, 지역아동센터 초등학생들과 함께 어린이대공원으

답변	로 봄소풍을 다녀왔습니다. 비 오는 날씨에도 불구하고, 아이들은 신나게 놀며 즐거운 시간을 보냈습니다. 이번 봄소풍은 가이드 투어와 함께 진행되었습니다. 아이들은 어린이대공원의 다양한 동식물과 자연환경에 대해 배우며, 새로운 경험을 쌓을 수 있었습니다. 또한, 비 오는 날씨에도 불구하고, 아이들은 비옷을 입고 비를 맞으며 놀면서 새로운 경험을 얻었습니다. 봄소풍을 통해 아이들은 자연과 함께하는 즐거움을 느끼고, 친구들과 함께 소중한 추억을 만들었습니다. 이번 봄소풍은 아이들에게 큰 만족감을 선사했으며, 다음 번 봄소풍을 기대하게 만들었습니다.

전안나의 휴먼터치 TIP

휴먼터치	1. 소식지 글은 우리 기관 후원자, 자원봉사자, 클라이언트, 클라이언트의 가족 등 주요 이해관계자를 주요 대상으로 쓰는 글입니다. 2. 소식지 글에는 여러 정보를 싣는데요, 기관 소식과, 행사 소식, 우수 활동 사례, 직원 소식, 부모님이나 자원봉사자에게 도움이 되는 정보 등을 넣으면 읽는 분에게 도움이 되는 소식지가 될 수 있습니다. 3. 소식지 글에는 글과 함께 사진 1~2장과 함께 넣어주면 가독성이 좋습니다.

3-9. 보도자료

희망지역아동센터 초등 담당 사회복지사로 문화 체험 프로그램을 다녀온 후 보도자료 프롬프트를 작성해 볼께요.

프롬프트

프롬프트	나는 지역아동센터에서 초등학생을 만나는 사회복지사야. 아이들과 어린이 대공원에 봄 소풍을 다녀왔어. 만족도가 높았고, 날씨는 비가 왔지만 잘 다녀왔다는 내용으로 보도자료를 적으려고 해. 제목, 부제, 전문, 본문, 해설 순으로 적어줘

생성형 AI 답변

생성형 AI 답변	제목: 어린이대공원 봄 소풍, 지역아동센터 초등학생들에게 큰 만족감 선사 부제: 비 오는 날씨에도 아이들은 신나게 놀고, 새로운 경험을 얻었습니다 전문: 봄을 맞이하여 어린이대공원으로 봄소풍을 다녀왔습니다. 비 오는 날씨에도 불구하고, 다양한 야외 활동을 즐기며

생성형 AI 답변	새로운 경험을 쌓았습니다. 본문: 이번 봄 소풍은 지역아동센터에서 초등학생들을 대상으로 진행되었습니다. 아이들은 비 오는 날씨에도 불구하고, 어린이대공원에서 다양한 활동을 즐기며 즐거운 시간을 보냈습니다. 봄 소풍은 아이들에게 새로운 경험과 추억을 만들어주는 소중한 기회였습니다. 아이들은 비 오는 날씨에도 불구하고, 어린이대공원에서 다양한 활동을 즐길 수 있었습니다. 가이드 투어를 통해 어린이대공원의 다양한 동식물과 자연환경을 배우고, 놀이터에서 신나게 놀며 친구들과 함께 소중한 추억을 만들었습니다. 또한, 비 오는 날씨에도 불구하고, 아이들은 비옷을 입고 비를 맞으며 놀면서 새로운 경험을 얻었습니다. 봄 소풍을 담당한 사회복지사는 "비 오는 날씨에도 불구하고, 아이들이 신나게 놀고 새로운 경험을 얻을 수 있어서 매우 만족스러웠습니다. 이번 봄 소풍을 통해 아이들이 새로운 경험을 쌓고, 친구들과 함께 소중한 추억을 만들 수 있었습니다. 앞으로도 지역아동센터에서는 다양한 활동을 통해 아이들의 성장과 발전을 지원할 것입니다."라고 말했습니다. 해설: 이번 봄 소풍은 아이들에게 새로운 경험과 추억을 만들어주는 소중한 기회였으며, 사회복지사와 교사들의 노력으로 성공적으로 진행되었습니다.

전안나의 휴먼터치 TIP

휴먼터치	1. 보도자료는 제목, 부제, 전문, 본문, 해설 순으로 작성합니다. - 제목은 10글자 내외로 핵심을 담아서 작성 - 부제는 제목을 보충 설명하는 글로 1줄 이내로 작성 - 전문은 2~3줄 전체 내용을 요약하여 작성 - 본문은 자세한 내용을 기록하되 6하 원칙이 모두 포함되도록 작성. 본문에는 과거에 이 사업이 어떤 배경에서 진행되었고 어떤 역사가 있는지 설명하고, 이번 에 진행된 내용에 대해 자세히 설명하고, 앞으로 계획을 간단히 작성. - 해설은 의미, 성과 등에 대해 1~2줄 작성 2. 내용과 관련 있는 사진, 결과물 등을 함께 넣고, 작성자 이름과 이메일을 표기합니다.

3-10. 카드뉴스

희망지역아동센터 초등 담당 사회복지사로 문화 체험 프로그램을 다녀온 후 카드뉴스 제작을 위한 프롬프트를 작성해 볼께요.

프롬프트

프롬프트	나는 지역아동센터에서 초등학생을 만나는 사회복지사야. 아이들과 어린이대공원에 봄 소풍을 다녀왔어. 만족도가 높았고 날씨는 비가 왔지만 잘 다녀왔다는 내용으로 카드뉴스를 만들 거야. 4장 개요를 적어줘

생성형 AI 답변

생성형 AI 답변	제목: 비 오는 봄소풍, 아이들과 함께 특별한 추억을 만들다 장 1: "어린이대공원 봄소풍" * 제목: 어린이대공원 봄소풍 * 설명: 지역아동센터 초등학생들과 함께한 봄소풍 소개 * 사진: 어린이대공원에서 뛰어노는 아이들의 모습

생성형 AI 답변	장 2: "비 오는 날씨에도 신나게" * 제목: 비 오는 날씨에도 신나게 * 설명: 비 오는 날씨에도 불구하고, 아이들이 즐겁게 뛰어노는 모습 * 사진: 비옷을 입고 비를 맞으며 웃고 있는 아이들의 모습 장 3: "새로운 경험과 추억" * 제목: 새로운 경험과 추억 * 설명: 아이들이 배운 동식물과 자연환경 * 사진: 가이드와 함께 동식물을 관찰하는 아이들의 모습 장 4: "아이들의 만족도 높음" * 제목: 아이들의 만족도 높음 * 설명: 봄소풍에 대한 아이들의 만족도가 높았으며, 새로운 경험과 추억을 쌓을 수 있었다는 내용 * 사진: 봄소풍을 즐기는 아이들의 모습

전안나의 휴먼터치 TIP

휴먼터치	1. 카드뉴스는 소식지, 인스타그램, 페이스북, 블로그, 홈페이지 등 여러 매체에 활용 가능합니다. 다양한 이모티콘과 그림, 이미지를 넣어서 제작합니다. 2. 생성형 AI를 활용하여 카드뉴스 제작 전 텍스트 글자를 작성 후, 미리 캔버스나 망고보드, 캔바 등의 프로그램을 활용하여 제작하는 것이 편리합니다. * 미리 캔버스, 캔바, 망고보드 접속 방법은 2-6번 목차를 참고하세요.

4부. 사업계획서·프로포절 프롬프트

4부에서는 노인복지관 사회교육 담당 사회복지사로
노인 우울 예방을 위한 신규 사업을
기획해야 한다는 설정으로
연간 사업계획서/프로포절 아이디어 구상부터
한 장 기획서까지 프롬프트를 알려드립니다.

4-1. 사업 아이디어

사업계획서 프로포절을 작성하기 전에 누구를 대상으로 어떤 프로그램을 기획할지 아이디어가 필요한데요, 브레인스토밍을 해야 할 때 생성형 AI를 활용하면 다양한 아이디어를 쉽게 생각해 볼 수 있습니다. 노인복지관 사회교육 담당 사회복지사로 노인 우울 예방을 위한 신규 사업 기획을 위한 아이디어를 생성하는 프롬프트를 작성해 볼께요.

프롬프트 (1)

프롬프트	나는 노인복지관에서 노인 교육 업무를 하는 사회복지사야. 어르신 20명이 참여할 우울 예방 프로그램 아이디어가 필요해. 7개 알려줘.

생성형 AI 답변 (1)

생성형 AI 답변	1. 워킹 그룹 - 매일 아침이나 주말에 진행되는 산책 모임을 통해 체력 유지 및 사회적 교류 증진 2. 노래방 클럽 - 좋아하는 노래 함께 부르며 스트레스 해소와 즐거운 시간 보내기 3. 수공예 워크샵- 뜨개질, 도자기 만들기 등 다양한 수공예 활동을 통해 성취감과 창의력 향상 4. 명상 및 요가 수업- 스트레스 관리와 몸의 유연성 증가를 위한 명상과 요가 수업 제공 5. 독서 클럽- 책을 통해 지식을 나누고 토론을 하는 모임으로 정서적 안정감과 인지 능력 향상 6. 전통 춤 배우기 - 한국 전통 무용 등을 배우며 문화적 정체성 강화와 신체 활동 병행 7. 텃밭 가꾸기 - 공동 텃밭을 가꾸며 자연과 교감하고 건강한 먹거리도 직접 재배해보기

전안나의 휴먼터치 TIP

휴먼터치	어르신이 어떤 특징이 있는지 적지 않았더니 건강하고 활동적인 어르신 프로그램을 많이 추천해주네요. 이번에는 어르신들의 특성을 넣어서 다시 요청하겠습니다.

프롬프트 (2)

프롬프트	나는 노인복지관에서 노인 교육 업무를 하는 사회복지사야. 70세부터 80세 건강이 좋지 않은 어르신 20명이 참여할 노인 우울 예방 프로그램 아이디어가 필요해. 7개 알려줘

생성형 AI 답변 (2)

생성형 AI 답변	1. 의자 요가 클래스- 의자에 앉아서 할 수 있는 요가 동작을 통해 유연성 및 균형감각 향상 2. 음악 치료 세션 - 좋아하는 음악 듣기, 간단한 악기 연주를 통해 감정 표현과 스트레스 해소 3. 핸드마사지 및 뷰티 케어 - 상호간의 핸드마사지를 통해 안정을 취하고 자기 관리의 즐거움을 느끼기 4. 가벼운 손놀이 미술 활동- 클레이나 색종이 접기 등 손을 이용한 창작 활동으로 신체 활동 병행 5. 전자 기기 사용법 교육 - 스마트폰, 키오스트 교육, 태블릿 등을 통해 성취감 제공 6. 향기 치료 (아로마테라피) - 다양한 천연 오일의 향을 통해 기분 전환과 휴식 촉진 7. 추억 공유 및 스토리텔링 - 인생의 소중한 순간을 회상하고 다른 사람과 공유하여 삶의 의미를 되새기기

전안나의 휴먼터치 TIP

휴먼터치	1번 프롬프트와 2번 프롬프트의 차이가 느껴지시나요? 클라이언트의 특징을 자세히 더 넣어주면 추천 아이디어가 달라집니다. 여러분이 나의 클라이언트 특징과 욕구를 잘 알고 프롬프트를 넣으면 더 좋겠지요? 이를 위해 클라이언트를 더 자주 만나서 대화를 나누고, 욕구를 조사하고, 관찰하는 부분이 필요합니다. 결국 모든 사업의 시작은 클라이언트의 욕구와 필요입니다.

4-2. 사업명

노인복지관 사회교육 담당 사회복지사로 노인 우울 예방을 위해 키오스트 교육 사업계획서 교육명 프롬프트를 작성해 볼께요.

프롬프트

프롬프트	나는 노인복지관에서 노인 교육 업무를 하는 사회복지사야. 노인을 대상으로 우울 예방에 도움되는 키오스크 교육 사업계획서를 쓰려고 해. 교육명을 10개 적어줘

생성형 AI 답변

생성형 AI 답변	1. "키오스크로 여는 노인의 새로운 세상" 2. "노인을 위한 키오스크 마스터 클래스" 3. "노년을 위한 스마트 키오스크 교육" 4. "디지털 노년을 위한 키오스크 교육" 5. "키오스크 마스터로 노인 우울증 예방하기" 6. "노인을 위한 디지털 생활 기술 교육" 7. "노년을 위한 키오스크 활용 방법 교육" 8. "키오스크로 노인의 삶의 질 올리기" 9. "노인을 위한 키오스크 활용 교육" 10. "노년을 위한 키오스크 스킬 향상 교육"

전안나의 휴먼터치 TIP

휴먼터치	1. 생성형 AI가 생성하는 사업명은 '슬로건(부제)에 조금 더 가깝습니다. 슬로건이나 부제는 사업명이 아닙니다. 슬로건만 적으면 어떤 사업인지 알 수 없기 때문에 대상과 목적 방법 순으로 사업명을 적어주세요. 사업명에는 대상, 목적, 방법을 명시합니다. 2. 슬로건 예시 예) 주인공(주인이 주인이 되는 공간) 프로젝트 예) 꿈모아 사업 예) 드림스쿨
	3. 사업명 예시 예) 발달 장애 청년 / 자립 증력 향상을 위한 / 민관협력사업 예) 사회복지사 /글쓰기 역량 강화 / 집합교육 예) 느린 학습 청소년 / 학습 증진을 위한 / 멘토링

4-3. 필요성

노인복지관 사회교육 담당 사회복지사로 노인 우울 예방을 위해 키오스트 교육 사업계획서 필요성 프롬프트를 작성해 볼께요.

프롬프트

프롬프트	나는 노인복지관에서 노인 교육 업무를 하는 사회복지사야. 노인을 대상으로 우울 예방에 도움되는 키오스크 교육 사업계획서를 쓰려고 해. 노인 우울 예방을 위해 키오스크 교육이 필요한 사회적 필요성, 클라이언트 욕구, 이론적 근거를 알려줘

생성형 AI 답변

생성형 AI 답변	사회적 필요성: 노인 우울증은 사회적으로 매우 중요한 문제입니다. 나이가 들면서 가족 구성원의 사망, 경제적 어려움, 건강 문제 등 다양한 스트레스 요인이 발생하면서 우울증 발생률이 높아집니다. 또한, 사회적 고립, 외로움, 무력감 등도 노인 우울증의 원인이 됩니다. 따라서, 노인 우울증 예방 및 치료를 위한 사회적 지원이 필요합니다.

생성형 AI 답변	클라이언트 욕구: 노인들은 디지털 기기 사용에 대한 욕구가 있습니다. 하지만, 디지털 기기 사용에 대한 지식과 기술이 부족하여 디지털 기기 사용에 대한 불안감과 불편함을 느끼고 있습니다. 따라서, 노인들에게 디지털 기기 사용법을 교육하는 것은 노인들의 욕구를 충족시키는 데 도움이 됩니다. 이론적 근거: 키오스크 교육은 노인들의 인지적, 신체적, 사회적 능력을 향상시키는 데 도움이 됩니다. 키오스크 교육은 노인들의 인지 능력을 향상시키는 데 도움이 됩니다. 또한, 키오스크 교육은 노인들의 신체적 능력을 향상시키는 데도 도움이 됩니다. 마지막으로, 키오스크 교육은 노인들의 사회적 능력을 향상시키는 데도 도움이 됩니다.

전안나의 휴먼터치 TIP

휴먼터치	생성형 AI는 우리 클라이언트가 어떤 욕구를 가지고 있는지 모르고, 여러분이 실제 클라이언트를 만나면서 습득한 전문 지식이 없습니다. 생성형 AI가 써주는 필요성은 글의 초안으로만 생각하고, 여러분의 전문성을 바탕으로 많은 '휴먼 터치'가 필요합니다. 필요성은 이 사업을 왜 하는가에 대한 설명을 써야 하는데요, 사회적 필요성, 클라이언트 욕구, 이론적 근거 순으로 작성합니다. 1. 사회적 필요성은 해당 주제에 대한 세계적인 추세, 한국이나 지역 사회의 추세, 이해관계자들의 복지에 대한 기대 등을 기록합니다. 사회적 필요성은 주로 뉴스, 신문, 기사, 정책, 법, 정책 등 2차 자료를 활용하여 넣어주세요. 주요 정보 제공자나 서비스 제공자들의 필요성도 함께 작성합니다.

휴먼터치	2. 클라이언트 욕구는 만족도 의견, 이용자 대면 시 표현한 욕구, 욕구조사, 설문조사, FGI 인터뷰 등 활용하여 클라이언트나 이해관계자들이 실제 말한 내용 그대로 생생하게 작성합니다. 3. 이론적 근거는 우리가 하려는 사업이 이론적으로 검증되었음을 밝히는 것을 목적합니다. 관련 논문이나 전문서적, 구글 스콜라, riss 등을 활용하여 작성합니다. 4. 생성형 AI는 정확한 출처를 제공해 주지 못합니다. 출처를 적지 않으면 다른 사람의 글을 나도 모르게 표절한 것 일 수 있으니 출처를 확인하여 작성 합니다. 생성형 AI가 알려주는 숫자, 통계, 자료는 정확하지 않습니다. 다시 한번 확인 후 계획서에 작성합니다. 5. 필요성 작성할 때 참고하면 좋을 사이트 ① 국가정책연구포털 https://www.nkis.re.kr ② "빅카이즈" https://www.bigkinds.or.kr ③ 정부간행물 "지존" http://gzone.kr/ ④ 국가통계포털 www.kosis.kr ⑤ 구글스콜라 scholar.google.co.kr ⑥ 학술연구정보서비스 riss.kr ⑦ 데이터아카이브 https://www.nypi.re.kr ⑧ 국회도서관 www.nanet.go.kr

4-4. 목적

노인복지관 사회교육 담당 사회복지사로 노인 우울 예방을 위해 키오스트 교육 사업계획서 목적 프롬프트를 작성해 볼께요.

프롬프트

프롬프트	나는 노인복지관에서 노인 교육 업무를 하는 사회복지사야. 노인을 대상으로 우울 예방에 도움되는 키오스크 교육 사업계획서를 쓰려고 해. 노인 키오스크 교육 목적을 who, what, do 순으로 써줘

생성형 AI 답변

생성형 AI 답변	누구(WHO): 키오스크 사용이 어려운 노인들을 대상으로 합니다. 무엇(WHAT): 노인들이 키오스크를 사용하는 방법을 배우고, 이를 통해 사회적 상호작용을 증진시키며, 일상 생활에서 필요한 서비스를 이용할 수 있도록 돕습니다. 어떻게(DO): 노인들에게 키오스크 사용 방법을 교육하고, 이를 통해 자신감을 높이고, 일상 생활에서 키오스크를 활용할 수 있는 기회를 제공합니다.

전안나의 휴먼터치 TIP

휴먼터치	1. 목적은 일의 방향이라는 뜻입니다. 사업마다 목적은 1개로 작성하고, who, what, do가 포함되도록 작성합니다. who는 표적 대상을 명시하고, what은 문제나 욕구가 무엇인지를 작성하고, do는 일의 방향을 명시합니다. 2. 목적은 "(누구)의 (어떤 문제)를 (향상/감소/지원/유지) 한다." 식으로 표기합니다. 3. 목적 예시 예) 발달장애 청소년의 자립 기술을 향상한다 예) 사회복지사의 글쓰기 역량을 강화한다. 예) 거동 불편 어르신의 일상 생활을 지원한다. 예) 가정폭력 가해자의 재발율을 감소한다.

4-5. 목표

노인복지관 사회교육 담당 사회복지사로 노인 우울 예방을 위해 키오스트 교육 사업계획서 목표 프롬프트를 작성해 볼께요.

프롬프트

프롬프트 (1)	나는 노인복지관에서 노인 교육 업무를 하는 사회복지사야. 노인을 대상으로 우울 예방에 도움되는 키오스크 교육 사업계획서를 쓰려고 해. 노인 키오스크 교육 목표를 측정 가능하게 숫자를 넣어서 3개 써줘
프롬프트 (2)	(답변에 이어서) 위 내용을 성과 목표와 산출 목표 항목별로 구분해서, 숫자를 넣어서 써줘

생성형 AI 답변 (1)

생성형 AI	1. 참여율 증가: 현재까지의 참여율을 기준으로 향상된 참여율을 목표로 삼을 수 있습니다. 예를 들어, 현재까지 평균 30%의 노인이 교육에 참여하고 있다면, 목표를 50%로 설정하여 참여율을 늘리는 것이 가능합니다.

답변	2. 우울증 증상 감소: 교육 후 우울증 증상에 대한 평가 척도를 사용하여 참여자들의 우울증 수준 변화를 측정할 수 있습니다. 예를 들어, 교육 전과 후의 우울증 증상 평균 점수를 비교하여 목표로 설정할 수 있습니다. 예를 들어, 교육 후 우울증 증상 평균 점수를 20% 이상 감소시키는 것을 목표로 설정할 수 있습니다. 3. 사회 참여 활동 증가: 교육을 통해 사회 참여 활동에 대한 흥미와 참여도를 증가시키는 것을 목표로 설정할 수 있습니다. 이를 측정하기 위해 교육 전후에 참여하는 사회 활동의 종류 및 빈도를 조사하여 변화를 측정할 수 있습니다. 예를 들어, 교육 후 사회 참여 활동이 20% 이상 증가하는 것을 목표로 설정할 수 있습니다.

생성형 AI 답변 (2)

생성형 AI 답변	1. 성과 목표: -노인의 심리적 안녕감 향상: 우울증 증상 감소로 평균 20% 이상의 개선 -사회 참여 활동 증가: 교육 후 사회 참여 활동이 최소 20% 이상 증가 -사회적 고립 감소: 교육 후 사회적 고립 지표가 최소 15% 이상 개선 2. 산출 목표: -참여율 증가: 성과 목표를 달성하기 위해 매 교육 세션마다 참여한 노인의 수를 측정하고, 전체 노인 인구 대비 참여율을 계산합니다. 목표는 최소한 30%에서 50%로 증가. -우울증 증상 감소: 교육 전후에 우울증 평가 척도를 사용하여 노인들의 우울증 증상을 측정하고, 교육 후 우울증 증상의 평균 변화율을 계산합니다. 목표는 최소한 20% 이상의 감소. -사회 참여 활동 증가:교육 후에 노인들의 사회 참여 활동에 대한 참여도를 조사하고, 교육 전후의 참여 활동 수준을 비교하여 증가한 비율을 계산합니다. 목표는 최소한 20% 이상의 증가.

휴먼터치

목표는 목적을 측정 가능하게 기록하는 것입니다. 보통 2~3개로 작성하고, 측정이 가능하도록 숫자를 넣어서 작성하면 좋습니다. 목표는 산출 목표와 성과 목표가 있습니다.

1. 산출 목표 예시

산출 목표	예시
교육 참여 횟수 서비스 횟수 자료 배포 수 서비스 제공 시간 서비스 이용자 수 참여자 수 취업 인원 지도한 집단 수	신규회원 5명 발굴 상담 100건 참여자 수 20명 취업 인원 3명 서비스시간 120시간 집단수 5개

2. 성과 목표 예시

초기	중기	장기
지식, 기술, 태도, 가치 변화	행동의 변화	조건과 지위, 지역사회의 변화
자립 기술 3개 습득, 사전 사후 검사 3점 향상, 성적 5점 향상	학교 주4회이상 정기적 출석, 금주 3일, 직장3개월유지. 주3회 운동, 재발률50%감소	상급학교 진학, 탈수급, 취업, 국적 취득, 공동체성 향상

4-6. 세부 사업 내용과 일정표

노인복지관 사회교육 담당 사회복지사로 노인 우울 예방을 위해 키오스트 교육 사업계획서 세부 사업 프롬프트를 작성해 볼께요. 프롬프트 (1)은 세부 사업 내용이고, 프롬프트 (2)는 사업 진행 일정표를 작성하기 위한 질문입니다.

프롬프트

프롬프트 (1)	나는 노인복지관에서 노인 교육 업무를 하는 사회복지사야. 노인을 대상으로 우울 예방에 도움 되는 키오스크 교육의 세부 사업 내용을 적으려고해. 목적은 우울감 척도 사전 사후 1점 감소, 노인 키오스크 교육은 3번의 강의를 듣고 8번은 지역 상가에서 현장 실습을 할 거야. 3월부터 11월, 토요일에 한달에 한번 1.5시간 진행하고 강사 1명과 자원봉사자 10명이 어르신 10명과 함께 할 거야. 이 내용을 6하 원칙에 따라 적어줘.
프롬프트 (2)	(위 내용에 이어서) 세부 사업 내용을 준비 단계, 진행 단계, 종결 단계로 나눠서 적어줘.

생성형 AI 답변 (1)

생성형 AI 답변	1. 누구에게: 노인복지관에서 우울감에 시달리는 노인들을 대상으로 합니다. 2. 참여 인원: 강사 1명과 자원봉사자 10명이 함께 참여하여, 총 10명의 노인 어르신들이 참여합니다. 3. 무엇을: 우울 예방을 위한 키오스크 교육 프로그램을 실시합니다. 4. 어떻게: -강의 및 현장 실습: 3월부터 11월까지 매월 토요일에 1.5시간 동안 진행됩니다. -강의 내용: 우울 예방에 관한 지식과 스트레스 관리 방법을 다룹니다. -실습 내용: 지역 상가를 방문하여 사회 활동 및 소통 능력을 향상시키는 실전 활동을 진행합니다. 5. 어디에서: 노인복지관 및 지역 상가에서 진행됩니다. 6. 언제: 매월 토요일에 1.5시간 동안 진행되며, 3월부터 11월까지 진행됩니다. 7. 왜: 프로그램의 목적은 우울감을 줄이고, 노인들의 삶의 질을 향상시키는 것입니다. 사전 및 사후 우울감 척도를 측정하여 1점 이상의 감소를 목표로 합니다.

생성형 AI 답변 (2)

생성형 AI 답변	1. 준비 단계: 수요 조사, 콘텐츠 개발, 장소 및 장비 확보,인력 구성 2. 진행 단계: 프로그램 홍보 및 참가자 모집, 교육 실시, 참가자 평가 및 피드백 수렴 3. 종결 단계: 성과 평가 및 보고서 작성, 프로그램 평가 및 개선, 사후 지원 및 지속성 유지

전안나의 휴먼터치 TIP

휴먼터치

1. 세부 사업 내용은 표로 제시되는 경우가 많습니다. '목표'에 따른 6하 원칙을 작성하는데요, Why는 목표, WHAT은 프로그램, HOW는 활동, WHERE은 장소, WHEN은 시기와 횟수, WHO는 수행인력과 클라이언트로 작성합니다.

Why	WHAT	HOW	WHERE	WHEN	WHO (1)	WHO (2)
목표	프로그램	활동	장소	시기, 횟수, 시간	수행 인력	참여 인원
**척도 사전 사후 1점 감소	키오스트 교육	강의 현장 실습	교육실 지역 상가	3~11월1회 토 1.5H	강사 1명 봉사자 10명	노인 10명

2. 사업 진행 일정도 표로 제시되는 경우가 많습니다. 사전 준비 단계부터 진행, 종결 단계까지 작성합니다.

주요내용 \ 기간					
1. 준비	조사				
	기획				

4-7. 평가

노인복지관 사회교육 담당 사회복지사로 노인 우울 예방을 위해 키오스트 교육 사업 계획서의 평가 항목 프롬프트를 작성해 볼께요.

프롬프트

프롬프트	나는 노인복지관에서 노인 교육 업무를 하는 사회복지사야. 노인을 대상으로 우울 예방에 도움 되는 키오스크 교육 사업계획서에서 평가 항목을 적으려고 해. 양적 평가, 질적 평가, 과정 평가, 성과 평가 항목을 써줘.

생성형 AI 답변

생성형 AI 답변	1. 양적 평가 : 참여자 수 / 참여 빈도 / 교육 시간 2. 질적 평가 : 만족도 조사/ 피드백 분석 /학습효과 평가 3. 과정 평가 : 운영 일정 / 교육 콘텐츠 업데이트 / 참여자 관리 4. 성과 평가 : 우울증 감소율 / 사회 참여 증진 / 자기 효능감 향상

휴먼터치

1. 양적 평가

작성 내용	평가도구 (=근거 자료)	평가방법 (=통계분석)
수치화 할 수 있는 성과	신청서 출석부 척도 사전 사후 검사 성적표 만족도 검사 취업 확인서 혈압측정 변화표 인바디검사	-단일집단사전사후 -단일집단 사후 -비교집단 사전사후 -시계열 설계 -빈도 분석

2. 질적 평가

작성 내용	평가도구 (=근거 자료)	평가방법 (=내용분석)
수치화 할 수 없는 성과	예) 관찰 일지 자봉/강사 활동 일지 자봉/강사 간담회 회의록 개인/집단 면담 기록 프로그램 일지/평가서 참여자/자봉소감문	-참여자 과제물 -건강발달 상황표 -알림장 점검 -성적표 변화 측정

과정(형성)평가와 성과(총괄) 평가에 대한 설명은 목차 2-10번을 참고하세요.

4-8. 척도

노인복지관 사회교육 담당 사회복지사로 노인 우울 예방을 위해 키오스트 교육 사업계획서에서 성과를 측정하는 척도를 찾기 위한 프롬프트를 작성해 볼께요.

프롬프트

프롬프트	나는 노인복지관에서 노인 교육 업무를 하는 사회복지사야. 노인을 대상으로 우울 예방에 도움되는 키오스크 교육 사업계획서를 쓰려고 해. 노인 우울증을 측정할 수 있는 척도를 알려줘

생성형 AI 답변

생성형 AI 답변	노인 우울증 측정을 위한 다양한 척도가 있습니다. 일반적으로 사용되는 척도 중 일부는 다음과 같습니다: 1. 노인 우울 척도 (Geriatric Depression Scale, GDS): 노인의 우울 증상을 측정하는 데 사용되는 척도입니다. 30문항으로 구성되어 있으며, 자가 보고 형식으로 진행됩니다.

생성형 AI 답변	2. 노인 우울 평가 척도 (Geriatric Depression Scale-15, GDS-15): 노인의 우울 증상을 측정하는 데 사용되는 간이 버전으로, 15문항으로 구성되어 있습니다. 3. 센터 포 에브리띵 유 원 투 노우 (Center for Epidemiological Studies Depression Scale, CES-D): 일반 인구에서 우울 증상을 측정하는 데 사용되는 척도입니다. 20문항으로 구성되어 있으며, 자가 보고 형식으로 진행됩니다. 4. 패트릭 우울증 척도 (Patient Health Questionnaire-9, PHQ-9): 우울 증상을 측정하는 데 사용되는 척도로, 9문항으로 구성되어 있습니다. 이러한 척도들은 노인의 우울 증상을 측정하는 데 유용하며, 교육 프로그램의 효과를 평가하고 모니터링하는 데에도 활용될 수 있습니다.

전안나의 휴먼터치 TIP

휴먼터치	1. 생성형 AI가 추천해주는 척도가 실제로 존재하는 척도인지 다시 확인이 필요합니다. 또 최종 선정하는 척도는 실제 문항을 살펴보고 내가 진행하는 사업의 성과를 측정하기에 가장 적절한 문항으로 구성되어 있는지 확인 후 최종 결정하는 것이 좋습니다. 2. 척도 문항을 살펴보고 싶을 때 표준화된 척도와 비표준화 간이 평가 도구를 함께 살펴보세요. ① 표준화된 척도: 인터넷 브라우저에 "사회복지공동모금회 척도" 검색하여 144개 척도파일 다운로드 ② 비표준화 평가도구 : 인터넷 브라우저에 "서울복지교육센터 간이평가도구 모음집" 검색하여 199개 간이 평가 도구 파일 다운로드

4-9. 기대효과

노인복지관 사회교육 담당 사회복지사로 노인 우울 예방을 위해 키오스트 교육 사업계획서 기대 효과 프롬프트를 작성해 볼께요.

프롬프트

프롬프트	나는 노인복지관에서 노인 교육 업무를 하는 사회복지사야. 노인을 대상으로 우울 예방에 도움되는 키오스크 교육 사업계획서를 쓰려고 해. 노인 키오스크 교육을 했을 때 기대 효과를 3개 알려줘

생성형 AI 답변

생성형 AI 답변	1. 디지털 역량 강화: 키오스크 교육은 노인들이 디지털 기기에 대한 이해와 활용 능력을 향상시킬 수 있도록 돕습니다. 이를 통해 노인들은 키오스크를 사용하는 다양한 환경에서 독립적으로 서비스를 이용할 수 있게 됩니다. 2. 사회적 연결성 증진: 키오스크 교육은 노인들이 디지털 기술을 활용하여 사회적 연결성을 증진시킬 수 있는 기회를 제공합니다. 예를 들어, 키오스크를 통해 친구나 가족과 연락하거나, 온라인 커뮤니티에 참여하는 등의 활동을 할 수 있습니다. 3. 인지 기능 개선: 키오스크 교육은 노인들의 인지 기능을 향상시키는 데 도움을 줄 수 있습니다. 키오스크를 사용하는 과정에서 문제 해결 능력, 기억력, 집중력 등을 향상시킬 수 있으며, 이는 노년의 인지 기능 저하를 예방하는 데 도움이 됩니다.

전안나의 휴먼터치 TIP

휴먼터치	1. 기대 효과는 목적이 달성된 상태를 표현 합니다. AS-IS 에서 TO-BE로 변화되는 부분을 작성합니다. 2. 기대 효과는 "다시 입력해 줘" "3개만 더 알려줘" 등으로 여러번 생성형 AI 답변을 받은 후 내가 작성한 사업의 '목적'에 가장 적절한 문항으로 수정하여 사용하세요.

4-10. 한 장 기획서

노인복지관 사회교육 담당 사회복지사로 노인 우울 예방을 위해 키오스트 교육으로 간단히 한 장 기획서를 작성하는 프롬프트를 작성해 볼께요.

프롬프트

프롬프트	나는 노인복지관에서 노인 교육 업무를 하는 사회복지사야. 노인 우울 예방을 위해 키오스크 교육을 한장 기획서로 쓰려고 해. 사업명, 교육 의도, 교육 대상, 일정 순으로 써줘

생성형 AI 답변

생성형 AI 답변	사업명: 키오스크를 활용한 노인 우울 예방 교육 프로그램 교육 의도: 이 프로그램은 노인들이 사회적인 참여와 자아 개발을 통해 보다 활기찬 삶을 살 수 있도록 돕는 것을 목표로 합니다. 우울증 예방 및 관리에 대한 인식을 높이고, 노인들이 키오스크를 다루는 방법을 지원합니다. 교육 대상: 이 교육 프로그램은 65세 이상의 노인 대상으로 진행됩니다. 특히 사회적 고립이나 가족관계의 문제로 인해 우울 증세가 나타날 수 있는 노인들을 대상으로 하며, 심리적 지원 및 사회적 활동을 통해 그들의 삶의 질을 향상시키고자 합니다. 일정: 1. 프로그램 기획 및 준비: 2024년 6월 - 7월 교육 내용 및 자료 수집 교육 일정 및 장소 확보 참가자 모집 및 홍보 계획 수립 2. 교육 진행: 2024년 8월 - 9월 총 4회의 교육 세션으로 구성 각 세션은 주제별로 구성되며, 이론과 실습을 통해 참가자들에게 우울 예방에 관한 다양한 정보를 제공 3. 평가 및 피드백: 2024년 10월 교육 참가자들의 만족도 및 효과 검토 향후 개선 사항에 대한 피드백 수렴 및 프로그램 재조정

전안나의 휴먼터치 TIP

휴먼터치	1. 일반적인 사업 계획서와 프로포절은 최소 10장에서 20장으로 분량이 많은데요, 생성형 AI를 활용하여 항목별로 작성 후 한 장 기획서 양식에 추가하여 작성하면 긴 내용의 사업 계획서도 효과적으로 작성할 수 있습니다. 2. 한 장 기획서를 토대로 필요성, 목적, 목표, 세부 사업 내용, 일정표, 척도, 기대효과 문항별 프롬프트를 입력하여 분량을 늘리는 방법도 사용 가능 합니다.

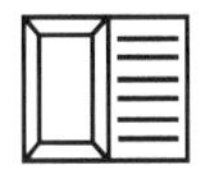

5부. 기본 업무 프롬프트

5부에서는 상담, 인테이크, 사례관리 기록지,
회의록, 슈퍼비전 기록지, 사례집, 만족도 결과 보고서,
운영 일지 등 업무별 특성에 맞게
사용할 수 있는 다양한 프롬프트를 알려드립니다.

5-1. 상담·인테이크 준비,
질문 준비

상담이나 인테이크를 처음 가게 되면 떨리고 걱정이 되는데요, 상담이나 인테이크 준비를 위한 프롬프트와 질문 준비 프롬프트를 작성해 볼께요.

프롬프트

프롬프트 (1)	나는 사회복지관에서 복합적인 문제를 가진 사람을 돕는 사례관리 업무를 하는 사회복지사야. 영구임대 아파트에 거주하는 국민기초생활수급자인 노인 부부 세대에 가정 방문 상담을 가야 하는데, 상담을 가기 전에 어떤 것을 준비해야 할지 알려줘
프롬프트 (2)	나는 사회복지관에서 복합적인 문제를 가진 사람을 돕는 사례관리 업무를 하는 사회복지사야. 질병이 있고, 자녀가 없고, 영구임대 아파트에 사는 노인 부부 세대에 가정 방문 상담을 가야 하는데, 모의 상담을 진행 하려고 해. 어르신의 의식주, 식생활, 신체 정신건강, 주거, 경제 상황, 대인관계에 대한 상담을 진행해야 해. 상담 질문을 공손한 말투로 몇 개 알려줘

생성형 AI 답변 (1)

생성형 AI 답변	1. 사전 정보 수집: 노인 부부의 기본적인 정보, 건강 상태, 경제 상황, 사회적 관계, 그리고 이전 상담 기록 등을 사전에 파악합니다. 2. 목표 설정: 방문 상담의 목적과 목표를 명확히 합니다. 이는 상담의 방향성을 제공하고, 필요한 서비스나 지원을 결정하는 데 중요한 기준이 됩니다. 3. 상담 도구 준비: 상담 시 필요할 수 있는 체크리스트, 질문지, 정보 동의서, 안내 자료 등을 미리 준비합니다. 큰 글씨로 인쇄된 자료를 준비하는 것이 좋습니다. 4. 상황에 맞는 자료 준비: 국민기초생활수급자에게 제공될 수 있는 다양한 지원 프로그램이나 서비스에 대한 정보를 준비합니다. 예를 들어, 노인 건강 관련 서비스, 재가 노인 지원 서비스, 경제적 지원 등이 있습니다. 5. 비상 상황 대비: 비상 상황에 대비하여 개인적인 안전을 위한 준비물(예:휴대 전화, 비상 연락처 등)과 대상자를 위한 안전 대책(예:응급 상황 대응 방법)을 준비합니다. 6. 상담 후 조치 계획: 상담을 마친 후 필요한 후속 조치나 지원 계획을 세웁니다. 이는 상담 결과를 바탕으로 진행되며, 구체적인 서비스 연계나 추가 상담 일정 등을 포함할 수 있습니다.

생성형 AI 답변 (2)

생성형 AI 답변	1. 의식주에 대한 질문 "하루에 몇 끼를 드시나요?" "가장 좋아하는 음식은 무엇인가요?" "집 안에서 이동하실 때 어려움이 있으신가요?" "집을 더 편안하게 만들기 위해 필요하다고 생각하시는 것이 있으신가요?" 2. 신체 및 정신 건강에 대한 질문

생성형 AI 답변	"최근에 몸이나 마음에 불편함을 느끼신 적이 있으신가요?" "건강을 위해 특별히 있는 일이 있으신가요?" 3. 경제 상황에 대한 질문 "매달 생활비로 어느 정도의 비용이 드시나요?" "경제적으로 어려운 점이 있다면, 어떤 도움이 필요하신가요?" 4. 대인관계에 대한 질문 "가까이 지내시는 친구나 이웃이 있나요?" "최근에 가족이나 친구와 어떤 이야기를 나누셨나요?"

전안나의 휴먼터치 TIP

휴먼터치	1. 상담을 가기 전에 클라이언트의 사전 접수 대장을 확인하고 이전에 우리 기관에서 받은 서비스나 신청한 프로그램이 있는지 등 기본 사항에 대한 조사를 하고, 상담 시간을 정하고, 우리 기관 안내지를 준비합니다. 우리 기관에서 제공할 수 있는 서비스나 프로그램, 사업이 무엇이 있는지 알고 상담이나 인테이크를 한다면 대면시 필요한 정보 제공와 서비스 신청까지 한꺼번에 도와드릴 수 있습니다. 2. 가정방문 상담을 갈때는 비상시를 대비하여 집안에 면담자 외에 다른 사람이 있는지 확인하고 들어 갑니다. 출입구에 가까운 쪽으로 상담자가 위치하고, 주변에 위험한 물건이 없는지 확인 합니다. 가능한 가정방문은 2인 1조로 진행하고, 어느 가정으로 방문하는지와 기관 복귀 예정 시간도 동료나 리더에게 상황을 공유합니다. 3. 생성형 AI의 질문이 일반적인 클라이언트에게는 적절하지만, 우리가 만나는 클라이언트에게 딱 맞는 질문이 아닐 수 있어요. 여러분이 사전에 알고 있는 클라이언트의 나이, 경제, 가족 구성에 대한 이해를 기반으로 적절하지 않은 부분은 수정해서 질문을 준비해서 가면 상담, 인테이크를 하는데 도움이 될 것입니다.

5-2. 상담 기록지·회의록 (대화 형식)

상담 진행이나 회의시 대화 형식으로 녹취록을 작성해야 할 때는 별도의 프롬프트가 필요하지 않습니다. 녹취가 되는 도구를 활용하여 녹음 버튼을 누르고 회의, 상담, 슈퍼비전을 진행하면 자동으로 녹음이 됩니다.

녹취 후 음성 변환이 가능한 도구

① 노트북에서 [윈도우] 표시와 [H] 버튼을 동시에 클릭

② MS워드 사용시 상단에 [음성입력] 버튼 클릭

③ 구글 문서 사용시 [도구]에서 [음성입력] 버튼 클릭

④ 스마트폰 앱스토어에서 [다글로] [네비어 클로바 노트] 등을 다운로드 하여 사용

녹취가 가능한 도구를 활용한 녹취록

녹취록 원본	화자1: 안녕하세요? 희망복지관 전안나입니다. 어르신 잘지내셨어요? 전화 통화만 하고 처음 뵈요. 화자2: 아고, 선생님. 반가워요. 화자1: 할아버지 안녕하세요? 복지관에서 왔어요. 화자3: 네. 안녕하세요. 누워 있어도 이해바랍니다. 내가 못 일어나요. 화자2: 우리 할아버지가 이렇게 된지 벌써 10년이예요. 화자1: 그러시군요, 10년이나 되셨어요? 할머니도 몸이 안 좋아 보이세요. 다리가 많이 부은 것 같은데요? 화자2: 나도 전에 수술하고 나서 부작용이 생겨서 몸이 자꾸 부어서 잘못 일어나요. 화자1: 아, 그래서 벽에 기대서 앉아 계신거예요? 뒤에 베개 하나 받쳐 드릴까요? 등 아프실 것 같아요 집에서는 살살 다니실 수 있어요? 일어나서 걷는 것이 아예 힘드세요? 화자3: 못 걸어. 나도 못 걷고 이 사람도 못 걸어서 요양 보호사가 다 해줘. 1주일에 6일 와서 다해주지 머. 화자2: 요양보호사가 좀 전에 갔어 화자1: 요양보호사 선생님이 1주일에 6일이나 오세요? 집이 깨끗해요. 지저분하지 않고 정리 정돈도 잘되어 있고, 어르신 옷도 깔끔하고 , 요양보호사가 잘 해주시나요? 어떠세요?

전안나의 휴먼터치 TIP

휴먼터치	1. 대화 형식 기록은 실제 사람 사이에 오가는 모든 대화를 똑같이 기록하는 것입니다. 교육 훈련 목적을 가진 상담이나, 운영위원회 회의록 등은 실제 오가는 대화를 그대로 작성이 필요한 회의록은 대화 형식으로 기록 합니다. 2. 녹취가 가능한 도구는 글자만 인식하며 비언어적인 행동이나 뉘앙스는 인식하지 못하니, 사회복지사가 판단하여 필요한 내용은 추가로 기록해 주어야 합니다. 발음이 부정확한 부분은 인식을 잘 못하니, 틀린 글자는 직접 수정해주어야 합니다. 3. 가끔 오류가 나서 녹음 녹취가 안되는 경우도 있으니 2개이상의 도구를 동시에 사용하거나, 손으로 주요 내용은 기록하며 활용하는 것을 추천합니다. 또 다글로, 네이버 클로바 노트에 기본 기능으로 'AI요약'이 가능하지만, 핵심을 파악하여 요약하는 부분은 부족합니다.

5-3. 상담 기록지·회의록 (요약 발췌 형식)

상담이나 회의 진행시 녹취를 하였거나 녹취록을 작성한 경우 생성형 AI를 활용하여 내용을 요약, 정리 할 수 있습니다. 요약 발췌 형식의 프롬프트를 작성해 볼께요.

프롬프트

프롬프트	(회의/상담에서 나온 얘기를 두서없이 그냥 다 적고 or 녹취한 파일을 넣고) 이 내용을 전문가스러운 말투로 요약 발췌로 정리해서 적어줘.
	(회의/상담에서 나온 얘기를 두서없이 그냥 다 적고 or 녹취한 파일을 넣고) 이 대화의 주요 내용만 키워드로 요약해줘

생성형 AI 답변

생성형 AI 답변	상담 대상자는 침대에서 생활하며 폭력적 성향을 보이는 할아버지와 거동이 불편한 할머니로 구성되어 있습니다. 할아버지는 간성혼수로 인한 침대 생활을 하고 있으며, 최근에는 지각력이 저하되어 알츠휴먼머 진단이 필요한 상태입니다. 또한, 거동이 제한되어 벽에 기대 생활하다 보니 피부 질환 발생이나 식사에 어려움을 겪고 있습니다. 할머니는 자궁 수술로 인한 합병증으로 거동이 어려운 상태이며, 일상 생활 수행능력이 저하되었습니다. 가정 내 돌봄 서비스로는 주 6회 요양 보호사가 방문하여 의복 관리와 구입, 탈 착의를 도와주고 있으며, 요양 보호사가 사전조리한 음식을 제공합니다. 또한, 집안 환경 유지를 위해 주 2회 요양 보호사가 정리 정돈과 청소를 담당하고 있습니다. 이러한 돌봄 서비스를 통해 할아버지와 할머니는 자신의 상황에 만족하고 있다고 표현하고 있습니다. 또한, 가정 외부에서의 지원으로는 할아버지는 월 1회 사랑병원을, 할머니는 희망의료원을 방문하고 있습니다. 요양 보호 센터장이 공과금 납부와 필요물품 구입 등의 지원을 하고 있으며, 분기별로 희망동 거주 지인이 방문하여 사회적 연결성을 유지하고 있습니다. 그러나 대상자는 외부 사람들과의 소통을 기피하는 모습을 보입니다.

전안나의 휴먼터치 TIP

휴먼터치	1. AI는 글자만 인식하며 비언어적인 행동이나 뉘앙스는 인식하지 못하고, 중요한 내용과 중요하지 않은 내용을 구분하는 것을 잘 못합니다. 요약은 잘하는데, 발췌는 잘 못하니 중요한 내용인데 누락이 되어 있거나 중요하다고 생각되는 내용인데 기록되지 않은 부분은 추가로 작성해주세요. 2. 중요한 부분은“ ” (쌍따옴표) 표기 후 녹취록에서 실제 말한 문장 그대로 적으면 생생한 기록이 될 수 있습니다.

5-4. 사례관리 기록지
욕구 사정 기록

사례관리 기록지는 표로 작성해서 체크리스트처럼 되어 있는 부분이 많습니다. 이 부분은 여러분이 직접 작성해야 합니다. 다만, 서술식으로 작성하는 부분은 대략적인 내용을 대충 두서없이 적은 후 생성형 AI를 활용하여 문장을 가독성 좋게 가다듬는 용으로 활용하시면 좋습니다. 욕구 사정 기록지 글을 다듬는 프롬프트를 작성해 볼게요.

사람이 작성한 사례관리 욕구 사정 기록 초안

글 초안	할아버지 간성혼수, 침대에서 누워 생활하며 할머니에게 물건을 던지거나 욕하는 등 폭력적 성향. 최근 지남력이 저하되어 관련 검사와 진단 필요. 할머니 거동이 힘들기에 벽에 기대 생활하여 다리 사이에 땀띠 등 피부 질환 발생. 자궁 수술로 인한 합병증으로 림프종 발병. 거동 불편. 일상생활 수행능력 저하. ADL 15/41. 주6회 요양 보호사가 방문하여 의복 관리 및 구입, 탈착의 가능. 일평균 2끼 식사. 매월 10만 원 부식비 지출. 고기 및 과일은 월 3회 이상 섭취. 요양 보호사가 사전 조리한 음식 준비. 생활 가전제품 및 집기류가 잘 갖추어져 있음. 주 2회 요양 보호사의 정리 정돈, 청소로 쾌적한 집안 환경 유지. 할아버지는 월 1회 사랑병원 방문. 할머니는 희망의료원 방문. 요양 보호 센터장이 공과금 납부 및 필요물품 구입 등을 도와주고 있음. 분기별 1회 희망동 거주 지인이 방문하고 있음. 요양 보호사, 복지관 직원 외에 외부 사람들과 이야기를 하지 않으려 기피하는 모습 보임.

전안나의 휴먼터치 TIP

프롬프트 (1)	(여러분이 작성한 글 초안 넣기) 이 내용으로 사례관리 기록지를 작성할 거야. '~입니다'의 어조로 작성해줘.
프롬프트 (2)	(여러분이 작성한 글 초안 넣기) 이 내용을 의생활, 식생활, 주거, 신체정신건강, 대인관계 순으로 정리하여 적을 거야. 전문적인 말투와 명사로 끝나는 어조로 적어줘

생성형 AI 답변 (1)

생성형 AI 답변	확인해보니 할아버지는 간성혼수로 인해 침대에서 생활하고 계시며, 할머니에게 폭력적인 행동을 보이시고, 최근 지남력이 감소되어 관련 진단이 필요한 상황입니다. 또한 거동이 어려워 벽에 기대 생활하고 계시며, 피부질환과 합병증으로 인한 불편함이 있습니다. 주 6회 요양 보호사가 방문하여 의복 관리 및 구입 등을 지원하고 있으며, 식사 및 생활 용품 지출 등의 경제적인 부분도 관리되고 있습니다. 또한, 주 2회 요양 보호사의 정리 정돈과 청소로 집안 환경을 유지하고 계시며, 할아버지와 할머니는 현재 상황에 만족하고 계십니다. 일상생활 수행 척도에 따르면 자신의 신체를 돌보기 위한 활동에서 일정 수준의 제약이 있으며, 이에 대한 관리가 필요합니다. 또한, 가족 문제로 인해 정서적인 지원이 필요한 상황입니다. 요양 보호 센터장이 공과금 납부 및 필요물품 구입 등의 지원을 하고 있으며, 분기별로 방화동 거주 지인이 방문하고 있습니다. 요양 보호사나 복지관 직원 외에 외부 사람들과의 소통을 기피하는 모습을 보이고 계십니다.

생성형 AI 답변 (2)

생성형 AI 답변	1. 의생활 -간성혼수와 폭력적 행동 등의 문제로 침대 생활 및 일상 활동 수행에 어려움이 있음. -자궁 수술 합병증으로 인한 거동 제한 및 피부 질환 발생 등의 신체적 문제 발생. -일상생활 수행 능력 저하(ADL 15/41). 2. 식생활 -주6회 요양 보호사의 사전조리된 식사 섭취. -월 10만원 식비로 고기와 과일 포함한 식단 유지.

생성형 AI 답변	3. 주거 -생활 가전 및 집기류 장착. -주2회 요양 보호사에 의한 정리 정돈, 청소로 쾌적한 주거 환경 유지. 4. 신체정신건강 -간성혼수로 인한 신체적, 인지적, 심리적 취약함. -알츠휴먼머 진단 필요성. -벽에 기대 생활로 피부 질환 발생. 5. 대인관계 -외부 사람과의 소통 회피 경향. -가족과 요양 보호사를 중심으로 한 소통.

전안나의 휴먼터치 TIP

휴먼터치	1. 사례관리 기록지를 생성형 AI에 넣어서 문장을 정리할 때 개인 정보 (이름, 주소, 연락처, 종교 등)를 입력하지 않도록 주의해주세요. 대부분의 생성형 AI의 경우 프롬프트에 입력한 정보가 운영 주체로 자동 수집이 될 수 있습니다. 2. 여러분 기관에서 사용하는 어조에 따라 프롬프트를 입력해주세요. "~있음", "~입니다" "~이다" 등 우리 기관에서 사용하는 어조와 욕구 사정지 형식에 따라 프롬프트를 입력해 주세요. 3. 프롬프트 (2)의 경우 의생활, 식생활, 주거, 신체정신건강, 대인 관계 순으로 정리해달라고 요청했지만, 해당 문항이 아닌 곳에 들어간 문장이 보이거나 중요한 내용인데 누락 된 내용이 보인다면 직접 수정해 주세요. 생성형 AI 답변은 완벽하지 않답니다.

5-5. 사례관리 기록지 개입 방향 설정

사례관리 기록지의 상담, 가정방문 등을 통해 사정한 내용은 체크 리스트나 욕구 조사지 기록을 통해 파악할 수 있습니다. 복합적인 문제를 가진 경우 어떻게 개입 방향을 정해야 할지 어려울 수 있는데요, 서술식으로 작성하는 부분은 대략적인 내용을 두서없이 적은 후 생성형 AI를 활용하여 개입 방향의 아이디어를 찾는 용으로 활용하면 좋습니다. 개입 방향을 정리하는 프롬프트를 작성해 볼께요.

사람이 작성한 사례관리 기록지 개입 방향 초안

글 초 안	클라이언트 1(아들) 교육지원 필요 클라이언트 1(아들)과 2(딸)는 양육 지원 클라이언트 3(엄마)와 클라이언트1(아들)의 의사 소통 장애와 갈등 클라이언트 3(엄마)의 건강문제 클라이언트 3(엄마)의 경제활동 클라이언트 3(엄마) 합의를 통한 부채사건 해결

프롬프트 (1)

프롬프트	나는 사회복지관에서 복합적인 문제를 가진 사람을 돕는 사례관리업무를 하는 사회복지사야. (여러분이 작성한 글 초안 넣기) 이런 문제를 해결 하려고 하는데 어떻게 도우면 좋을지 아이디어가 필요해.

생성형 AI 답변 (1)

생성형 AI 답변	1. 클라이언트1(아들) - 교육지원 필요: -교육 기관과 협력하여 개별 교육 계획 수립 -특별 교육 서비스 제공 -학습 장애나 학업에 어려움을 겪는 경우 별도의 교육 프로그램 제공 2. 클라이언트2(딸) - 양육 지원 -부모교육 프로그램 참여를 통한 양육 기술 향상 -지역 사회의 양육 자원 활용 -딸에게 안정적인 환경 조성 3. 클라이언트3(엄마) - 의사 소통 장애와 갈등 -가족 치료나 대화 중재 프로그램 참여 -의사 소통 장애 극복 및 가족 간 소통 개선 -갈등 해결을 위한 지원 제공 4. 클라이언트3(엄마) - 건강문제 -지역 병원이나 정부 지원 프로그램 활용 -건강 서비스 제공 및 건강 상태 관리 지원

생성형 AI 답변	5. 클라이언트3(엄마) - 경제활동 -재정 상담 및 경제 자립 프로그램 참여 -경제적 안정을 위한 자원 제공 6. 클라이언트3(엄마) - 합의를 통한 부채사건 해결 재정 상황 평가 및 부채 관리 프로그램 활용 클라이언트와의 합의를 통한 부채 문제 해결

전안나의 휴먼터치 TIP

휴먼터치	1번~6번으로 정리해서 답변이 생성되었습니다. 조금 더 자세한 내용을 물어보고 싶다면 '조금 더 구체적인 방법을 알려줘' 라고 번호별로 다시 물어보면 좀 더 자세하게 답변을 받을 수 있습니다.

프롬프트 (2)

프롬프트	클라이언트1(아들) - 교육지원 필요: -교육 기관과 협력하여 개별 교육 계획 수립 -특별 교육 서비스 제공 -학습 장애나 학업에 어려움을 겪는 경우 별도의 교육 프로그램 제공 위 내용에 대해 조금 더 구체적인 방법을 알려줘
	(보완을 요청하고 싶은 생성형 AI답변 초안 넣기) 위 내용에 대해 조금 더 구체적인 방법을 알려줘

생성형 AI 답변 (2)

생성형 AI 답변	1. 교육 기관과 협력하여 개별 교육 계획 수립: -클라이언트의 학습 수준과 특성을 고려하여 교육 기관(학교, 학습 지원 센터 등)과 회의를 통해 개별 교육 계획을 수립합니다. 교육 기관과의 협업을 통해 정기적인 평가 및 조정을 통해 클라이언트의 학습 상황을 지속적으로 모니터링합니다. 2. 특별 교육 서비스 제공: -클라이언트가 필요로 하는 특별 교육 서비스를 식별합니다. 이는 학습 장애, 언어 장애, 주의력 결핍 등 다양한 요인에 따라 다를 수 있습니다. 특수 교육 전문가와의 상담을 통해 클라이언트에게 적합한 특별 교육 서비스를 결정하고, 필요한 자원을 확보합니다. 3. 학습 장애나 학업에 어려움을 겪는 경우 별도의 교육 프로그램 제공: 클라이언트가 특정 학습 장애를 겪는 경우, 해당 학습 장애에 특화된 교육 프로그램을 제공합니다. 예를 들어, 독서 및 쓰기 장애가 있다면 독서 지원 프로그램이나 학습 전문가와의 개별 지도를 제공할 수 있습니다.클라이언트의 학업 수준에 맞춰 개별화된 학습 계획을 수립하고, 필요한 보조 교육 자원을 활용하여 학업에 대한 자신감을 키울 수 있도록 도와줍니다.

전안나의 휴먼터치 TIP

휴먼터치	1. 개입 방향에 대한 조언을 바탕으로 실제 개입 계획을 수립을 하여 적어주세요. 생성형 AI의 답변 중에 여러분이 실행 가능한 서비스 인지, 우리 기관에서 제공 가능 한지, 타 기관 전문가나 전문 기관에 협력·의뢰 가능한 자원이 있는지를 파악하여 실행 가능성 100%를 염두에 두고 최종본을 작성합니다. 2. 사례관리 개입 방향은 동료와의 사례회의 혹은 리더의 슈퍼비전을 반영하여 개입 방향과 목표를 최종 결정 합니다.

5-6. 슈퍼비전 기록지

슈퍼비전을 받을 때 대략적인 내용을 대충 두서없이 적은 후 생성형 AI를 활용하여 문장을 가독성 좋게 가다듬는 용으로 활용하시면 좋습니다. 슈퍼비전 기록지 프롬프트를 작성해 볼께요.

사람이 작성한 슈퍼비전 기록지 초안

글 초 안	슈퍼비전 안건: 가족 사례관리에 대한 개입 방안 슈퍼비전 받은 내용 -교육적 슈퍼비전 : 사례관리 개입 방향 설정시 중요한 것은 사회복지사 주도가 아니라, 클라이언트의 욕구와 강점 중심으로 개입해야 함. -행정적 슈퍼비전 : 이 가정에는 관리사무소, 노청 사례관리자와 협력이 필요해 보임, 관련 사례를 정리하여 사례회의 개최 공문을 발송하고 사례회의를 통해 공동 개입이 필요해 보임 -정서적 슈퍼비전 : 복잡한 사례인데 잘 진행하고 있음 다음 회차는 2025년 3월 15일 11시 개입계획 슈퍼비전

프롬프트

프롬프트	나는 사회복지관에서 복합적인 문제를 가진 사람을 돕는 사례관리 업무를 하는 사회복지사야. (여러분이 작성한 글 초안 넣기) 팀장님에게 슈퍼비전을 받은 내용인데 전문가스러운 말투로 회의록으로 정리해서 적어줘.

생성형 AI 답변

생성형 AI 답변	일시: 2025년 3월 4일, 오전 10시 장소: 사회복지관 회의실 참석자: [이름], 사회복지사 [이름], 팀장 안건: 3인 가족 사례관리에 대한 개입 방안 논의 슈퍼비전 내용 요약: -교육적 슈퍼비전: 개입 방향 설정시, 사회복지사의 주도보다는 클라이언트의 욕구와 강점을 중심으로 고려해야 함. -행정적 슈퍼비전: 해당 가정에는 관리사무소 및 노청 사례관리자와의 협력이 필요하며, 관련 사례를 체계적으로 정리하여 사례회의를 개최하고 공동 개입이 필요한 사안을 공유할 필요가 있음. -정서적 슈퍼비전: 복잡한 사례임에도 불구하고, 현재까지 차근차근 원활한 진행이 이루어지고 있음. 논의 사항 및 결정: -교육적 슈퍼비전에 따른 개입 방안: 클라이언트의 욕구와 강점을 중심으로 개입하는 데 있어, 추가적인 상담 및 평가가

생성형 AI 답변	필요하며, 이를 통해 개인화된 개입 계획을 수립할 예정입니다. -행정적 슈퍼비전에 따른 협력 방안: 관리사무소 및 노청 사례 관리자와의 적극적인 협력을 통해 관련 사례를 체계적으로 정리하고, 사례회의를 개최하여 공동 개입이 필요한 사안을 공유할 것입니다. -정서적 슈퍼비전에 대한 확인: 현재까지의 사례 진행 상황을 확인하고, 향후에도 감정적 지지를 제공하면서 사례를 지속적으로 진행할 것입니다. 다음 회의일시: 2025년 3월 15일, 오전 11시 (개입계획 슈퍼비전 논의)
	회의록 작성자: [이름], 사회복지사 의결: 위 사항에 대해 참석자들이 합의하였음.

전안나의 휴먼터치 TIP

휴먼터치	1. 생성형 AI는 슈퍼비전을 무엇인지 모릅니다. 그래서 팀장님에게 '회의'를 했다고 설정하고 '회의록'을 작성해 달라고 요청하면 회의록 형태로 정리 가능합니다. 또는 '코칭' 이라는 표현을 사용해도 좋습니다. 2. 여러분이 근무하는 기관의 슈퍼비전 기록지 양식에 맞춰서 수정해서 제출 해주세요.

5-7. 스토리텔링 형식 사례집

사업과 우리 기관의 성과를 알리는 용도로 사례집을 만드는 경우가 있습니다. 사례관리 사례집, 프로그램 사례집, 기관 사례집 등 다양하게 만들어 볼 수 있습니다. 사례집을 스토리텔링 형식으로 작성하면 많은 사람들에게 널리 읽힐 수 있습니다. 스토리텔링 형식 사례집 작성 시 생성형 AI를 활용하는 프롬프트를 작성해 볼게요.

사람이 작성한 사례집 초안

글 초안	2024년 아파트 통장의 밑반찬 신청으로 의뢰된 사례. 2024년 5월~현재까지 건강관리 능력 형성 및 수입 대비 부채 상환 비율 유지 목표로 격주 1회 사례관리에 참여하고 있음. 62세 할머니는 지체 장애 2급, 희귀질환 림프종으로 매일 같은 자세로 앉아서 생활함. 67세 할아버지는 파킨슨 질환 외에 만성화된 간경화로 간성 혼수상태에서 폭력적인 행동이 지속되고 있었음. 잦은 입원과 비급여 약, 기저귀 등 물품 구입으로 수입 대비 30% 이상 의료비로 지출되어 경제적 어려움 또한 가중되고 있었음. 2025년 건강 악화로 거동이 어려워 요양보호사 방문 시간 외에 간병 및 보호가 필요한 상황이었고 매월 병원비 외에 의약품 구입비 증가하여 경제적 어려움 호소하였음. 매년 임대료 및 관리비를 3개월 이상 체납하고 납부를 반복하여 생활비 중 의료비 마련이 어려웠기에 정기적으로 병원에 방문하지 못함. 할머니 채무 파산, 면책 재신청 욕구 개입 진행하였음. 희망지역협회를 통해 관리비 6개월 100만 원을 진행했고, 파산 신청이 승인되었음. 주 5회 도시락 배달 진행함. 병원비 연계를 위해 희망병원 사회사업실과 연계 진행하여 할아버지 병원비 문제 해결. 할머니 파산 면책을 위해 소망구청 무료 법률 상담 진행. 복지관 사회복지사와 간호사의 개입으로 채무와 파산 문제가 해결되었고, 식사, 혈당 관리, 약 복용, 집안일 수행 등 일상생활 관리 능력 향상되고 있음. 전반적인 생활에 관한 모니터링 및 정서 지원 상담 등 건강 및 경제 영역 욕구에 지속 개입하며 사후관리 중

프롬프트

프롬프트	나는 사회복지관에서 복합적인 문제를 가진 사람을 돕는 사례관리 업무를 하는 사회복지사야. (여러분이 작성한 글 초안 넣기) 이 내용으로 스토리텔링 형식으로 사례집을 작성할 거야. 기, 승, 전, 결 순으로 작성 하려고해. 기는 할머니 할아버지가 누구인지 적어줘. 승에는 할머니 할아버지 건강, 주거, 경제 문제의 어려움을 적어줘. 전에는 복지관에서 전문적인 개입을 한 내용을 적어줘. 결에는 모든 문제가 해결되어 사후관리 중이라고 적을 거야. 전문적인 말투로 적어줘.

생성형 AI 답변

생성형 AI 답변	기: 할머니와 할아버지는 사회복지관에 의뢰된 사례로, 각각 62세와 67세입니다. 할머니는 지체 장애 2급과 희귀질환 림프종으로 일상생활에 어려움을 겪고 있습니다. 반면, 할아버지는 파킨슨 병과 만성 간경화로 혼수상태에 놓여 있습니다. 이 노부부는 경제적으로도 어려움을 겪고 있었으며, 특히 매달 증가하는 의료비로 인해 부담을 겪고 있었습니다. 승: 2025년에는 할머니의 건강 상태가 악화되어 요양보호사 외에도 간병과 보호가 필요한 상황이 발생했습니다. 또한, 매달 증가하는 의약품 구입비와 임대료 체납으로 인해 경제적 어려움이 더해졌습니다. 할머니는 채무파산과 면책 재신청을 고려하고 있었습니다. 전: 사회복지관은 이러한 어려움을 인지하고 전문적인 개입을 진행했습니다. 희망지역협회를 통해 관리비를 6개월 동안 100만원을 지원하고, 파산 신청을 진행하여 채무와 파산 문제를 해

생성형 AI 답변	결했습니다. 또한, 병원 사회사업실과의 연계를 통해 할아버지의 병원비 문제를 해결하고, 할머니의 파산 면책을 위해 구청의 무료 법률 상담도 진행했습니다. 결: 복지관의 전문적인 개입 덕분에 채무와 파산 문제가 성공적으로 해결되었습니다. 현재 할머니와 할아버지의 일상생활 관리 능력이 향상되고 있으며, 건강 및 경제 영역에서의 지속적인 개입과 정서 지원 상담 등을 통해 사후관리를 지속적으로 진행하고 있습니다.

전안나의 휴먼터치 TIP

휴먼터치	1. 스토리텔링 사례집은 실제 있었던 사례 중에서 사업의 성과나 기관의 성과가 가장 잘 드러나는 사례를 정하는 것이 좋습니다. 성과는 과정의 성과가 좋은 사례도 좋고, 결과의 성과가 좋은 사례도 좋습니다. 진행 과정에서 클라이언트와 협력이 잘 되었거나, 여러 전문가들이 협력을 잘했거나, 라포 형성이 잘되었거나, 결과가 드라마틱하거나, 이후 변화된 상황이 오래 지속되고 있는 등 다양한 성과를 잘 보여주는 사례를 선정합니다. 2. 스토리텔링 글쓰기에서는 기, 승, 전, 결 순으로 작성합니다. '기'에는 클라이언트에 대한 기본 소개를 적어주세요. 나이나 건강, 가족 구성 등 기본 정보를 넣어주세요. '승'에는 클라이언트가 어떤 어려움을 가졌는지 적어주세요. '전'에는 그 어려움을 해결하기 위한 여러분의 노력, 전문적인 개입을 가능한 구체적이고 자세하게 적어주세요. '결'에는 해피엔딩으로 마무리 되었거나, 사후관리에 대한 내용을 적어주세요. 3. 생성형 AI가 적어준 글에서는 여러분의 구체적인 실천 사례가 잘 보이지 않습니다. 실제 클라이언트가 했던 말이나 일화를 넣으면 생생하게 읽힙니다.

5-8. 만족도 조사지

사업이나 프로그램별 이용자 만족도 조사지를 만들기 위한 프롬프트를 작성해 볼께요.

프롬프트

프롬프트(1)	나는 직원 교육 담당자야. 우리 기관 직원을 대상으로 사회복지 글쓰기 교육을 진행하고 만족도 조사를 하려고 해. 만족도는 5점 척도로 객관식으로 작성 할꺼야. 강사 만족, 교육 시간 만족, 교육 목적 달성 만족 기자재 만족, 참가자 태도 만족 항목별로 5점 척도로 작성해 줘
프롬프트(2)	(위 내용에 이어서) 이 내용에 대해 과정 평가와 성과 평가에 대해 서술식으로 답변 쓸 수 있도록 만족도 조사를 만들려고 해. 문항은 항목별로 3개로 만들어줘.

생성형AI 답변 (1)

생성형 AI 답변	사회복지 글쓰기 교육 만족도 조사 귀하는 최근에 진행된 사회복지 글쓰기 교육에 대한 만족도를 평가하는데 도움을 주실 것입니다. 아래의 각 항목에 대해 5점 척도로 평가해주세요. 각 항목에 대해 매우 불만족(1), 불만족(2), 보통(3), 만족(4), 매우 만족(5) 중 하나를 선택해주세요. 1. 강사 만족도: (1) 매우 불만족 (2) 불만족 (3) 보통 (4) 만족 (5) 매우 만족 2. 교육 시간 만족도: (1) 매우 불만족 (2) 불만족 (3) 보통 (4) 만족 (5) 매우 만족 3. 교육 목적 달성 만족도: (1) 매우 불만족 (2) 불만족 (3) 보통 (4) 만족 (5) 매우 만족 4. 기자재 만족도:(1) 매우 불만족 (2) 불만족 (3) 보통(4) 만족 (5) 매우 만족 5. 참가자 태도 만족도:(1) 매우 불만족 (2) 불만족 (3) 보통 (4) 만족 (5) 매우 만족 추가 의견: 자유롭게 교육에 대한 추가 의견이나 개선 제안을 남겨주세요. 감사합니다.

생성형AI 답변 (2)

생성형 AI 답변	사회복지 글쓰기 교육 만족도 조사 1. 강사 만족도: 교육 강사의 강의 방식과 전달 능력을 어떻게 평가하시나요? 어떤 부분이 가장 유익하거나 부족했나요? 강사가 제시한 사례나 예시는 실무에 적용하기 쉬웠나요? 그 이유는 무엇인가요? 교육 강사가 참가자들의 질문이나 의견에 대해 어떻게 대응했는지에 대한 평가를 부탁드립니다. 2. 교육 시간 만족도: 교육의 진행 속도는 적절했나요? 너무 빠르거나 느렸다면 그 이유는 무엇인가요? 교육 프로그램의 일정 및 시간 분배에 만족하셨나요? 개선이 필요한 부분이 있다면 어떤 부분인가요? 교육 시간 동안 제공된 휴식 및 활동 시간은 충분했나요? 부족했다면 추가로 필요한 시간이 얼마나 되나요? 3. 교육 목적 달성 만족도: 교육의 목표와 학습 내용에 대한 이해도는 어떠셨나요? 목표 달성에 도움이 되었나요? 교육을 통해 새로운 지식이나 기술을 얼마나 습득하셨나요? 실무에 적용 가능한 것으로 생각되나요? 교육 후 귀하의 사회복지 글쓰기 역량이 어떻게 향상되었다고 느끼시나요? 추가 의견:자유롭게 교육에 대한 추가 의견이나 개선 제안을 남겨주세요. 감사합니다.

전안나의 휴먼터치 TIP

휴먼터치	만족도 조사지를 만들어 달라고 한번에 입력하는 것보다 객관식과 주관식 문항을 분리해서 프롬프트를 입력하면 더 좋은 답변을 도출 할 수 있습니다.

5-9. 만족도 결과 보고서

손으로 쓴 만족도 조사지가 있는 경우 클라이언트가 작성한 그대로 타이핑 해서 생성형 AI로 문장을 다듬어 활용할 수 있습니다. 일일이 타이핑 치는 것이 귀찮다면 아숙업을 활용하면 사진만 찍으면 텍스트로 변환 해주는 기능을 활용하는 프롬프트를 작성해 볼께요.

손으로 작성한 글을 텍스트로 변환하기

① 손으로 작성한 글을 사진 찍기

② 카카오톡에서 '아숙업' 채널추가

③ '아숙업' 메시지 입력에 사진 넣기

④ 텍스트 변환 완료

클라이언트가 손으로 작성한 만족도 조사지 예시

만족도 조사지 원본	- 만족도 5점 만점 기준 4.8점 - 강사가 전달해야 하는 내용을 정확하게 전달하고 시간을 잘 분배한 것이 좋았음. - 강사님의 일방적인 강의형 교육이 아닌 실습을 해 볼 수 있는 참여형 교육이라서 좋았음. - 강사 선정이 매우 적절하였다고 생각합니다. - 강사의 강의 진행 방식 또한 집중할 수 있어서 좋았습니다. - 군더더기 없이 간결하게 진행하여 강의에 집중할 수 있었음. - 실습 시간이 조금 더 길었으면 좋겠습니다. - 2시간씩 4회기 강의가 알차게 강의가 진행되었다. - 교육을 통해 문서별 작성 방법을 터득할 수 있었습니다. - 다양한 글의 종류와 그에 따른 기본 구조, 글쓰기 기술을 익힐 수 있었음. - 합평만 해서 아쉬웠다. 직접 피드백을 받고 싶었음. - 올해 내가 들은 교육 중 가장 유익한 교육이었고, 배운 것들을 잘 적용하겠음. - 사회복지 글쓰기의 방법, 실질적인 예시에 대한 교육이 이루어져 바로 적용해 볼 수 있어서 좋았음. - 실천 현장의 가치를 글로 전달하기 위한 소통 방법을 체계적으로 배운 시간이었습니다. - 10가지 종류의 업무용 글쓰기 이론 교육과 더불어 주제별 실습이 진행되어 더욱 유익하였고 처음 접해본 합평이 특히 도움이 많이 되었음.

프롬프트 (1)

<table>
<tr><td rowspan="2">프
롬
프
트</td><td>(만족도 조사 내용 그대로 넣기)

이 내용으로 교육 만족도 결과 보고서를 작성하려고해.
만족도 총점, 과정 만족도, 성과 만족도, 제언 순으로 전문적인 말투로 정리해줘</td></tr>
<tr><td>(만족도 조사 내용 그대로 넣기)

이 내용은 강의 후기야. 기본적인 분석을 하고 만족도에 대한 항목별 관계 분석을 해줘</td></tr>
</table>

프롬프트 (2)

<table>
<tr><td rowspan="3">프
롬
프
트</td><td>(1차 생성형 AI 답변 일부를 붙여 넣고)

이 내용을 조금 더 길게 작성해 줘.</td></tr>
<tr><td>(1차 생성형 AI 답변 일부를 붙여 넣고)

이 내용을 전문적으로 요약해서 적어줘</td></tr>
<tr><td>(1차 생성형 AI에 이어서)

위 결과에 이어서 개선 사항에 대한 방안을 알려줘.</td></tr>
</table>

전안나의 휴먼터치 TIP

휴 먼 터 치	여러분 기관의 만족도 결과 보고서 양식을 맞춰서 프롬프트를 입력하면 조금 더 구체적인 답변을 생성할 수 있습니다.

5-10. 프로그램 생활실 운영일지

매일 반복적으로 작성하는 프로그램, 생활실 운영일지를 작성할 때는 여러분이 대충 작성한 글 초안을 넣고, 일지 작성 양식에 따라 프롬프트를 작성해 볼께요.

프롬프트

프롬프트	(여러분이 대충 작성한 글 초안을 넣고) 이 내용으로 운영 일지를 작성할 거야. 프로그램 내용, 평가 및 반응, 결석자 및 사유, 건의와 요청 순으로 전문가 스럽게 적어줘.
	(내가 쓴 글 or 생성형 AI가 쓴 글 일부를 붙여넣고) 글을 ***** 글자로 늘려줘
	(내가 쓴 글 or 생성형 AI가 쓴 글 일부를 붙여넣고) 고급 진 어휘를 써서 다시 써줘

프롬프트	
프롬프트	(내가 쓴 글 or 생성형 AI가 쓴 글 일부를 붙여넣고) 핵심 키워드를 뽑아줘.
	(내가 쓴 글 or 생성형 AI가 쓴 글 일부를 붙여넣고) 쉽게 적어줘.

전안나의 휴먼터치 TIP

휴먼터치	
휴먼터치	1. 여러분이 작성하는 글 초안에 프로그램 내용, 평가 및 반응, 결석자 및 사유, 건의와 요청에 대한 내용을 가능한 자세하게 적어주어야 생성형 AI가 생성하는 답변의 완성도가 올라갈 수 있습니다. 2. 여러분이 근무하는 기관의 운영일지 문항별로 사전 정보를 적고, 작성 순서를 지정해서 프롬프트를 입력해요.

6부. 행사·사회 업무 프롬프트

6부에서는 개관 20주년 기념 행사를 해야 한다는 설정으로,
행사 식순 기획부터, 행사 단계별 사회자 카드,
기념품 준비, 감사 서신 프롬프트를 작성해 보겠습니다.

6-1. 행사 기획

희망장애인단기보호센터 사회복지사로 개관 20주년 기념행사를 기획하는 프롬프트를 작성해 볼께요.

프롬프트

프롬프트	나는 희망장애인단기보호센터 사회복지사야. 센터 개관 20주년 기념 행사 사회를 맡았어. 공식적인 격식을 갖춘 행사야. 2시간 식순을 짜줘

생성형 AI 답변

아숙업	환영사 및 개관 30주년 축사 예술 공연 (춤, 노래 등) 특별 강연 감사 인사 및 행사 마무리
챗GPT	00:00 - 00:20: 개회식 및 축사 00:20 - 00:40: 간단한 다과 및 음료 시간 00:40 - 01:30: 기념식 및 특별공연 01:30 - 01:50: 시상 및 감사의 말 01:50 - 02:00: 행사 종료 및 사진 촬영 시간

뤼튼	개회 선언 및 국민의례 (10분) 대표의 환영사 (5분) 지역사회 내 주요 인사 축사 (5분) 30년 기념 영상 상영 (10분) 대표 기념사,미래 비전 발표 (20분) 표창 및 감사장 수여 (20분) 축하 공연 (20분) 폐회사 (10분) 단체 사진 촬영 (20분)
제미나이	1부: 개회 및 축하 (40분) 00:00 사회자 입장 및 인사 00:10 개회사 (관장) 00:15 축사 (지역주민 대표, 시/구청장 등) 00:35 영상 상영 (복지관 30년 역사) 00:40 사회복지사 및 봉사자 소개 영상 00:50 감사 인사 (사회복지사 대표) 2부: 기념 행사 및 축하 공연 (40분) 01:00 기념 행사 (시상식, 표창장 수여 등) 01:20 축하 공연 (지역 예술단, 전문가 공연 등) 3부: 30년 나눔의 이야기 01:30 30년의 발자취 (사진 전시, 주요 사업 소개) 01:40 감동 스토리 영상 상영 01:50 앞으로의 비전 발표 (관장) 02:00 폐회 음악 및 퇴장

전안나의 휴먼터치 TIP

휴먼터치	여러 생성형 AI의 답변을 활용하여 이중 어떤 구성을 우리 기관 행사에 활용할지 동료들과 회의를 진행하면 행사 기획에 소요되는 시간을 줄일 수 있습니다.

6-2. 사전 공연
사회자 카드

프롬프트	나는 희망장애인단기보호센터 사회복지사야. 센터 개관 20주년 기념 행사에 특별 공연이 있어. 10명의 회원이 노래를 부르고, 5명의 회원이 댄스를 할 거야. 사전 공연을 소개하는 사회자 카드를 써줘

6-3. 자리 정돈 요청
사회자 카드

프롬프트	식전 행사가 끝나고 본식이 시작되니 자리를 정돈하고 스마트폰 꺼달라는 사회자 카드 글을 써줘

6-4. 개회사
사회자 카드

프롬프트	희망장애인단기보호센터 개관 20주년 기념 행사 개회사를 글을 쓸 거야. 격식있는 어조로 1,000자 이내로 써줘

6-5. 내빈 소개
사회자 카드

프롬프트	개관 20주년 기념 행사에 참여한 귀빈 소개를 할 꺼야 이철수 국회위원, 홍길동 구청장, 김나래시의원, 이선경 구의원으로 소개 글을 써줘

6-6. 기관장 인사말
사회자 카드

프롬프트	개관 20주년 기념 행사에 기관장이 인사말을 할 거야. 20년 동안 어려움도 있었지만 함께 힘을 모아서 잘 극복해서 우수 센터가 될 수 있었다는 인사말을 격식있게 써줘

6-7. 기념 영상 상영
사회자 카드

프롬프트	개관 20주년 기념 행사에 영상 상영을 할 거야 5분 분량 동영상으로 우리 기관의 20년간 역사를 보여줄꺼고, 자원봉사자, 후원자, 이용자, 운영위원의 격려 영상이 나올 거야. 영상을 소개하는 글을 써줘

6-8. 행사 마무리 안내 사회자 카드

프롬프트	개관 기념 행사 클로징 멘트를 써줘. 참석 감사 인사와 함께 기념품이 준비되었다는 것과 1층 식당에 만찬도 같이 즐기라고 써줘

6-9. 감사 서신 프롬프트

프롬프트	개관 20주년 기념 행사 에 참석해 주셔서 감사하다는 감사 서신을 10줄 이내로 짧게 써줘.

6-10. 기념품 기획

희망장애인단기보호센터 사회복지사로 개관 20주년 기념행사 후 참여자에게 드릴 기념품을 준비하기 위한 프롬프트를 작성해 볼께요.

프롬프트

프롬프트	개관 20주년 기념행사 기념품을 준비하려고 해. 행사에 참여한 후원자, 자원봉사자, 운영위원에게 드릴 선물을 1개당 20,000원 내외로 100개 주문 예정인데 기념품을 추천해 줘

생성형 AI 답변

아숙업	1. 맞춤 제작 텀블러 2. 가죽 여권 지갑 3. 고급 펜과 노트 세트 4. 전자 액세서리 세트:(USB 메모리 스틱+충전기) 5. 맞춤 제작 도자기 머그컵

챗 G P T	맞춤형 문구용품 세트 고급 화장품 세트 테마별 골프용품 세트 와인 세트 맞춤형 가죽 제품
뤼 튼	맞춤형 텀블러 또는 보온병 고급 노트와 볼펜 세트 USB 메모리 스틱 맞춤형 에코백 휴대용 충전기(파워뱅크) 개인화된 달력 또는 탁상용 캘린더 고급 찻잔 세트 또는 와인 세트
제 미 나 이	1. 실용적인 기념품 : 고급 텀블러, 모바일 충전기, 어메니티 키트 기념품 2. 기관의 특징을 살린 기념품 : 기관 로고 또는 디자인 담은 굿즈, 기관의 역사나 업적을 담은 책자 또는 영상, 기관의 서비스나 프로그램을 체험할 수 있는 기회 제공, 공연이나 전시 관람 기회 3. 환경 친화적인 기념품 : 대나무, 볏짚, 재활용 플라스틱 등 친환경 소재로 만든 텀블러, 노트북, 펜, 가방 등, 나무 심기 또는 기부

7부. 리더 업무 프롬프트

7부에서는 기관 리더인 사회복지사들이 업무를 할 때
직원 면접 준비, 직원 채용 시험 준비,
공지, 회의록 정리, 서면 슈퍼비전 등에
사용할 수 있는 프롬프트를 알려드립니다.

7-1. 직원 채용 면접 준비

<table>
<tr><td rowspan="5">프
롬
프
트</td><td>나는 [기관명]의 인사 담당자야. [직무 역할] 담당 사회복지사를 채용하는 면접을 준비하는데 모의 면접 질문을 5개 만들어줘</td></tr>
<tr><td>[직무 역할] 부서 신입 직원을 채용 면접을 하려고 해.
[직무 분야] 복지 이슈에 대한 인터뷰 질문을 3개 부탁해</td></tr>
<tr><td>[인터뷰 종류]에서 말할 수 있는 개인 경험 또는 의견을 유도하는 아이스크레이킹 질문을 부탁해</td></tr>
<tr><td>인터뷰이가 [인터뷰 종류] [가상 상황] 이라면 어떨지 요청하는 시나리오 질문을 부탁해</td></tr>
<tr><td>[직무 역할] 업무를 위한 직무 관련 기술 평가 질문을 알려줘.</td></tr>
</table>

7-2. 직원 채용을 위한 필기 시험

프롬프트	
	나는 [기관명]의 인사 담당자야. [직무 역할] 담당 사회복지사를 채용하는 필기 시험 문제를 만들 거야.. [주제]에 대한 객관식 질문을 만들고, [숫자]개의 선택지를 제공해줘. 정답은 [a/b/c/d] 중 하나로 부탁해
	[주제]에 대한 객관식 질문을 만들고, [선택지1][선택지2][선택지3]을 선택지로 제시해줘. [구성]으로 작성 부탁해
	[가상 상황]에서 여러분이 이 상황에서 어떻게 행동할지 업무 처리 절차를 도표로 그려서 작성하라는 필기 시험 문제를 적어줘.
	[주제]에 대해 [분량]을 작성하는 서술형 문제를 만들 거야. 문제와 관련있는 예시 사례도 함께 적어줘.

7-3. 직원 공지글

프롬프트	
	[날짜] [주제] 회의 참석 요청 안내 글을 써줘
	[기관명] [성과/이정표] 소식을 공유하고 이런 [의미]를 가진다고 전해줘
	직원들에게 [보고서 종류]를 [일시]까지 [발송처]에 보내야 한다는 안내 글을 써 줘
	[주제]에 대해 제목, 대상, 공지 목적, 주요 내용, 마감일순으로 공지글을 적어줘.

7-4. 직원 격려와 조언

프롬프트	
프롬프트	나는 [기관명] 팀장이야. 우리팀 신입 직원이 이번주에 2번 지각을 했어. 앞으로 지각 하지 말고 정시에 출근하라는 말을 짧게 적어줘
	나는 [기관명] 부장이야. 이번에 직원이 프로포절을 제출했는데 선정이 안되서 속상하고 있어. 위로하는 글을 격려를 담아서 따뜻하게 작성해 줘.
	나는 [기관명] 사회복지사야. 팀장님에게 프로포절을 3번 반송받았어. 노력했는데도 여러 번 반송을 받아서 속상해. 위로해줘.

7-5. 직원 표창장
임명장

프롬프트	
프롬프트	나는 [기관명] 팀장이야. 20년간 우리 기관에서 근속한 직원에게 장기근속을 축하하는 표창장 글을 써줘.
	나는 [기관명] 팀장이야. 프로포절이 선정된 직원을 칭찬하고 축아하는 포상 표창장 글을 짧게 써줘.
	나는 인사 담당자야. [부서]명 [직무명] [지위]로 임명하는 직원 임명장 글을 적어줘.

7-6. 직원 서면 슈퍼비전

프롬프트	
프롬프트	나는 [기관명] 팀장이야. [직원이 슈퍼비전 받고 싶다고 한 내용을 자세히 적고] 이 내용에 대해 칭찬과 격려를 담은 슈퍼비전(코칭)을 적어줘.
	나는 [기관명] 팀장이야. [슈퍼비전 받고 싶다고 한 내용을 자세히 적고] 이 내용에 서면 슈퍼비전을 하려고해. **한 부분은 잘했고, ***한 부분은 개선이 필요하다는 서면 슈퍼비전(코칭)을 적어줘.
	나는 [기관명] 팀장이야. 직원에게 서면 슈퍼비전(코칭)을 하려고 해. 행정적 슈퍼비전(코칭)으로 **하고 적고, 교육적 슈퍼비전(코칭)은 **하고 적고, 지지적 슈퍼비전(코칭)으로 **하다는 글을 적을 거야. 행정적, 교육적, 지지적 항목 순으로 적어줘.

7-7. 회의록 정리

프롬프트	
프롬프트	(회의에서 나온 얘기를 두서없이 다 적고 or 녹취록을 넣고) 대화 형식으로 정리해 줘
	(회의에서 나온 얘기를 두서없이 다 적고 or 녹취록을 넣고) 대화의 주요 내용만 키워드로 요약해 줘
	(회의에서 나온 얘기를 두서없이 다 적고 or 녹취록을 넣고) 전문적인 어조로 요약 정리 해줘

7-8. 의사 결정을 위한 회의 안건

프롬프트	
	나는 [기관명] 팀장이야. 리더 회의를 하려고 해. [주제]와 관련된 비판적 사고와 논쟁을 유도하는 토론 주제 목록을 전해줘
	[주제]에 대한 생각을 자극하는 질문을 만들어줘
	[주제]에 대한 논쟁을 일으킬 수 있는 주장을 제공해 줘
	[주제]에 관한 [숫자]가지 특징/장단점을 제시해줘

7-9. 직원 교육 준비

프롬프트	
프롬프트	나는 [기관명] 직원 교육 전문가야. [교육 대상자]에게 [교육 주제]에 대한 직원 교육을 해야 해. 어떤 순서로 진행하면 좋을지 알려줘.
	나는 [기관명] 직원 교육 전문가야. [교육대상자]에게 [교육 주제]에 대한 직원 교육을 해야 해. [교육자1, 교육자2, 교육자3]이 각각 어떤 내용을 교육하면 좋을지 알려줘.
	[주제]에 대한 강의 개요를 [순서, 순서, 순서]로 작성해줘
	[주제]와 관련된 주요 내용에 대한 자세한 설명을 적을 거야. [필수 내용]을 넣어서 작성해줘
	[주제]를 다룬 강의에서 [교육대상자]가 이 내용을 잘 이해했는지 파악할 수 있는 과제를 내려고 해. 어떤 과제가 좋을지 알려줘.

7-10. 매뉴얼 책쓰기 준비

프롬프트	
	나는 사례관리 업무를 담당하고 있어. 우리 기관 개념 20주년을 맞아서 사례관리 매뉴얼을 만들려고 해. 어떻게 구성하면 좋을지 목차를 적어줘.
	나는 장애인 복지관에서 장애 예술 업무를 하고 있어. 동료들이 장애 예술 업무를 잘할 수 있도록 행정 절차 매뉴얼을 제작하려고 해. 행정팀장, 사회복지사, 장애예술인이 각각 어떻게 역할을 맡아서 매뉴얼을 쓰면 좋을지 역할별로 적어줘.
	나는 사회복지사야. 청소년들이 사회복지사 직업을 이해하도록 돕는 책을 쓰려고 해. 구체적인 실제 사례를 넣어서 20개의 목차를 알려줘.

8부. 업무에 도움되는 다양한 AI

8부에서는 다양한 AI를 알려드립니다.
녹취, 요약, PPT 만들기, 목소리 더빙 영상 만들기,
논문 요약 발췌, 마인드맵, 신문뉴스 분석,
맞춤법, 생성형 AI가 쓴 글을 골라내는 AI까지
다양한 AI가 있습니다.
단, 일부 AI는 스마트폰 사용이 어렵습니다.

8-1. 녹취 AI

다글로 / 네비어 클로바노트

노트북이나 스마트폰을 활용하면 회의, 상담 등을 쉽게 녹음 녹취 할 수 있습니다.

노트북에서 녹취가 가능한 방법

① 노트북에서 [윈도우] 표시와 [H] 버튼을 동시에 클릭

② MS워드 사용시 상단에 [음성입력] 버튼 클릭

③ 구글 문서 사용시 [도구]에서 [음성입력] 버튼 클릭

노트북이 없어도 스마트폰만 있으면 다글로, 네이버 클로바 노트 등을 활용하여 상담, 회의, 슈퍼비전 기록 등 긴 시간 대화로 진행된 내용을 자동으로 녹취 스크립트 작성과 AI 요약이 가능합니다. 스마트폰 앱스토어에서 네이버 클로바 노트, 다글로 등 앱을 다운로드 받아도 가능합니다. 앱별로 무료로 사용 가능한 시간 제한이 있으니 필요에 따라 여러개 앱을 다 사용해도 좋습니다.

스마트폰에서 녹취가 가능한 방법

① 스마트폰 앱스토어에서 [다글로], [네이버 클로바 노트] 등 음성 변환 앱을 다운로드 후 로그인

② [녹음] 버튼을 누르고 회의, 상담, 슈퍼비전을 진행

③ [녹음 종료] 버튼을 누르면, 음성을 텍스트 글자로 변환

④ 상단 [스크립트]를 클릭하면 인식된 음성 전체를 글자로 변환하여 녹취록을 적어주고, [AI 요점 정리]를 클릭하면 요약도 제공

전안나의 휴먼터치 TIP

휴먼터치	1. 업무용 목적일지라도 무단으로 녹음 녹취를 하는 것은 지양해야 합니다. 상담자의 목소리가 들어가면 동의없이 녹음 녹취 해도 법적으로 문제가 되지 않지만, 기록을 목적으로 회의록이 녹음 녹취 되고 있다는 것을 밝히고 상대방이 동의하는지 녹음 파일 앞부분에 기록으로 남기고 녹음하는 것을 추천합니다. 2. 가끔 오류가 나서 녹음이 안될 때도 있으니 1개만 사용하지 말고, 2개 기기로 동시 녹음하거나, 주요한 내용은 수기로 기록을 남겨놓는 것이 좋습니다.

8-2. 요약 AI

챗 PDF / 릴리스 AI / 코파일럿

사회복지사는 업무에서 매뉴얼, 공고문, 논문, 정책 자료집 등 많은 자료를 읽어야 하는데요, 관련 내용이 길어서 복잡하고 이해하기 어렵다면, 혹은 외국어로 된 자료라면 PDF 파일로 다운로드 받은 후 챗 PDF. 릴리스 AI, MS-365 파일럿 기능 등을 활용하면 다양한 자료를 빠른 시간에 훑어 볼 수 있어요.

아래 3가지 방법으로 PDF 파일을 AI에게 붙여 넣기만 하면 읽지 않아도 공고문, 논문, 자료 등의 주요 내용을 요약해 주고, 외국어를 한국어로 자동 번역은 물론, 해당 내용에 대한 챗봇 질문을 통해 읽은 것처럼 내용을 파악할 수 있습니다.

1. 챗 PDF

챗 PDF는 챗 GPT에서 만든 PDF 요약 전문 사이트입니다. 인터넷 화면에서 https://www.chatpdf.com/ 입력하거나, [챗 PDF] 검색하면 별도의 로그인 없이 사용 가능합니다. 하루 3번 1회 120매까지 무료로 PDF 파일을 인식하고 프롬프트를 입력하면 PDF 파일 내용을 짧게 요약도 가능하고, 프롬프트 입력을 통해 내용 파악도 가능합니다.

챗 PDF 사용법

① 인터넷 브라우저에서 https://www.chatpdf.com/ 입력
또는 인터넷 브라우저에서 [챗 PDF] 검색

② 별도의 로그인 없이 사용 가능

③ 인터넷 화면에서 [챗 PDF] 클릭후 첫 화면에 [여기에 PDF를 드롭하세요]라는 글자 부분에 PDF 파일 붙여넣기

④ PDF 파일 붙여넣기 후 자동으로 넘어가는 화면에서
[프롬프트] 입력하거나 클릭하여 사용

2. 릴리스 AI

릴리스 AI는 카카오톡 채널과 웹사이트 2가지 버전이 있습니다. 인터넷 브라우저에서 [릴리스 AI] 검색하거나 https://lilys.ai/ 들어가면 영상, 웹사이트, PDF 등 다양한 요약이 가능합니다. 별도의 프롬프트 없이, 영상 링크나 웹사이트 링크, PDF 파일을 붙여 넣고 요약하기를 누르면 바로 요약이 됩니다. 외국어로 된 영상도 스크립트와 함께 한글로 번역한 요약, 시간대별 핵심 내용 요약, 블로그 글까지 자동으로 생성됩니다. [실시간 녹음] 버튼을 누르면 실시간 녹음과 녹취도 가능합니다.

릴리스 AI 영상 요약 사용법

① 인터넷 브라우저에서 https://lilys.ai/ 입력
또는 [릴리스 AI] 검색
또는 카카오톡 [릴리스 AI] 검색후 채널 추가

② 로그인 방법은 구글 계정, 네이버 계정

③ 상단 영상/웹사이트/PDF 중 [영상] 클릭

④ [요약할 Youtube URL 코팅입력]라는 글자에
유튜브 영상 링크 붙여넣고 [요약하기] 클릭

⑤ 자동으로 넘어가는 화면에서 왼쪽에 영상 원본이 나오고
하단에 영상 내용 요약과 함께 오른쪽에 [요약노트] [펼쳐보기] [타임스탬프] [블로그글] 이 자동으로 생성

릴리스 AI 웹사이트 요약 사용법

① 화면 상단 영상/웹사이트/PDF 중 [웹사이트] 클릭

② [요약하고 싶은 아티클의 URL 코팅넣기]라는 글자에
   웹사이트 링크 링크 붙여넣고 [요약하기] 클릭

③ 자동으로 넘어가는 화면에서 왼쪽에는 웹사이트 [요약하기]가 입력되고, 오른쪽에 [요약노트]가 자동 생성

릴리스 AI PDF요약 사용법

① 화면 상단 영상/웹사이트/PDF 중 [PDF] 클릭

② [요약하고 싶은 PDF 파일을 업로드하세요]라는 글자에
   PDF 파일을 붙여넣고 [요약하기] 클릭

③ 자동으로 넘어가는 화면에서 [프롬프트] 입력하거나
   클릭하여 사용

3. 코파일럿

MS-365 유료 회원이라면 엣지 인터넷 브라우저에서 [코파일럿] 검색 하거나 https://copilot.microsoft.com 입력하면 내 컴퓨터의 모든 PDF에서 생성형 AI 활용 검색 및 프롬프트 입력 가능합니다.

코파일럿 사용법

① 엣지 인터넷 브라우저에서 https://copilot.microsoft.com 입력 또는 [코파일럿] 검색

② MS 계정 로그인

③ 한번 로그인하면 이후에 내 컴퓨터에 있는 모든 PDF 상단에 [Copilot에 물어보기] 클릭하여 질문 요약 가능

전안나의 휴먼터치 TIP

휴먼터치	AI를 통해 빨리 훑어본 자료는 여러분의 지식이 되지 못합니다. 영화 요약본은 영화 원본이 주는 감동과 서사를 다 전달할 수 없습니다. AI 기능은 급할 때 대략적인 내용을 이해하는 용도로 사용하고, 급한 일이 끝난 후에 자료를 정독으로 읽어야 전체 글에 대한 정확한 이해가 가능합니다.

8-3. PPT 만드는 AI
감마 / 코파일럿

사회복지사는 프로그램 준비, 사업계획서 발표, 평가회, 전체 직원 회의 등에 PPT를 사용하는 경우가 많은데요, 생성형 AI를 활용하면 프롬프트 입력을 통해 자동으로 PPT를 생성할 수 있습니다.

1. 감마

감마(gamma)는 인터넷 브라우저에서 https://gamma.app/create 검색하거나 [감마 AI] 검색하면 무료로 사용 가능합니다. 회원 가입시 400 크레딧을 무상 제공하는데, PPT 1회 제작시 40크레딧이 차감되어 10회까지 무료 이용 가능합니다.

감마 자동 PPT 만들기 순서

① 인터넷 화면에서 https://gamma.app/create 입력
또는 [감마 AI] 검색하여 로그인
② 첫 화면 상단 [새로 만들기]- [텍스트로 붙여넣기] 클릭
③ 텍스트에 생성형 AI로 쓴 글을 붙여 넣거나,

대충 작성한 내용을 입력

④ 프롬프트를 적고 하단 [프레젠테이션] 글자 선택, [계속] 클릭

⑤ 하단에서 PPT를 몇 장으로 할지 정하고, [계속] 클릭. 무료 사용자는 한번에 PPT 10장까지 설정 가능

⑥ 우측 테마 선택에서 마음에 드는 디자인을 클릭 후, 상단 [생성] 버튼을 클릭 또는 마음에 드는 디자인을 설정하지 않아도 기본 추천 디자인으로 바로 [생성]을 클릭

⑦ PPT 완성. 완성된 PPT는 [공유]를 누르면 PDF 파일 또는 PPT로 다운로드

2. 코파일럿

MS-365 유료 회원이라면 PPT를 자동으로 만들 수 있습니다.

자동 PPT 만들기 순서

① MS-365 유료 회원 로그인 상태로 PPT를 열어주세요

② [홈]- [추가기능] - [chat GPT Power Point] 클릭

③ [Create from Topic] 또는 [Create from Text] 또는 [Create from YouTube] 택1 클릭

④ [한국어] 선택과 PPT 슬라이드 장수 1~7장 중 선택

⑤ [Create from Topic] 에 주제를 입력하거나
[Create from Text] 에 PPT 텍스트를 입력하거나
[Create from YouTube] 클릭해서 유튜브 링크를 입력

⑥ 완성

전안나의 휴먼터치 TIP

휴먼터치	
휴 먼 터 치	1. 다운로드한 PPT는 편집이 가능하니 마음에 안드는 사진이나, 글씨체, 필요 없는 글자는 삭제하고, 각 페이지마다 기관명과 작성자 이름과 사업명을 넣어주세요. 2. PPT 글씨체는 가독성을 위해 굴림체, 고딕, 돋움체 등 산세리프체로 수정합니다. 3. 글씨 크기는 제목은 18~24포인트, 소제목은 16~18포인트, 본문은 텍스트의 양에 따라 14~72포인트로 수정합니다. 4. 미리 캔버스나 캔바 등 프로그램에도 AI 기능을 활용하여 PPT 만들기가 가능합니다.

8-4. 목소리 더빙 영상 만드는 AI VREW

브루(VREW) 를 활용하면 AI 목소리가 더빙된 영상을 무료로 만들 수 있습니다. 인터넷 브라우저에서 [VREW] 검색하거나 https://vrew.voyagerx.com/ko 입력 하면 VREW 프로그램을 무료로 사용 가능합니다. VREW는 최초 사용시 프로그램을 다운로드 하여 사용해야 합니다. 매월 음성 분석 120분, AI 목소리 1만자, 번역 3만자, 이미지 생성 100장, 텍스트로 비디오 만들기 3천자를 무료로 지원합니다.

목소리 더빙 영상 만들기 순서 예시

① VREW화면에 들어가서 상단에 [새로 만들기]를 클릭합니다.

② 화면에서 [텍스트로 비디오 만들기]를 클릭합니다.

③ 영상 유형을 [유튜브, 쇼츠, 인스타그램, 정방형, 클래식] 중 1개를 선택합니다.

④ 비디오 스타일을 [스타일없이 시작하기, 캐주얼한 정보전달 영상 스타일, 영어 회화 공부 스타일, 공포 영상 스타일, 다큐멘터리 스타

일, 명언 영상 스타일, 일본어 회화 공부 스타일, 뉴스 속보 영상 스타일] 중 1개를 선택합니다.

⑤ 영상 주제와 대본을 입력하는 화면이 나옵니다. [주제]를 적고, [대본]에는 프롬프트 글을 적습니다. 프롬프트도 생성형 AI를 활용하여 작성 후 붙여넣기를 해도 좋습니다.

⑥ 완료를 누르면 완성입니다.

전안나의 휴먼터치 TIP

휴먼터치	1. 완료 페이지에서 글자 수정, 사진, 목소리 수정, 목소리 속도 수정 등이 가능하고 [내보내기]를 누르면 MP4 영상 파일로 다운로드가 가능합니다. 2. 최근에는 120초이내의 짧은 동영상인 '릴스'가 인스타그램에서 유행 중이고, 유튜브에서도 90초이내 짧은 동영상인 '숏츠'가 유행합니다. 'VREW'를 활용하여 AI 목소리를 더빙하여 릴스나 숏츠에 올리는 것을 검토해보세요.

8-5. 논문 추천·요약·발췌 AI
SCISPACE

SCISPACE는 관심 키워드를 입력하면 관련 논문을 10여개 보여주는 사이트입니다. SCISPACE는 MS의 코파일럿과 연동되어 AI에 논문의 내용에 관해 질문을 할 수 있습니다. 클릭해서 파일을 열어서 상세 페이지에 들어가지 않고도 논문의 '코파일럿' 글자를 클릭하면 질문을 통해 내용을 확인할 수 있어서 논문 내용을 빠르게 파악하는데 많은 도움이 됩니다. 하단에 연구 관련 동향이 함께 제공됩니다.

SCISPACE 사용법

① 인터넷 브라우저에서 https://typeset.io/ 입력
또는 [SCISPACE] 검색

② [문헌 검토] 하단에 검색어를 입력하고 클릭하면 논문 10개 추천

③ 각 논문 별로 인용 횟수, 파일 다운로드 표기, [부조종사에게물어보세요]를 클릭하여 프롬프트 입력 가능

8-6. 마인드맵 그려주는 AI
gitmind

깃마인드(gitmind)는 프롬프트를 입력하면 마인드맵을 그려주는 AI 입니다. 최대 300글자의 프롬프트를 입력하거나 문서를 등록하면 자동으로 마인드맵을 그려줍니다.

gitmind 사용법

① 인터넷 브라우저에서 https://gitmind.com 입력
또는 [gitmind] 검색

② 별도의 로그인 없이 사용 가능

③ 300글자 이내 프롬프트 입력 후 생성하기 클릭

8-7. 신문·뉴스 분석 AI
빅카인즈

빅카인즈(BIGKinds)는 104개의 언론사 뉴스와 사설을 수집하여 분석 해주는 서비스입니다. 1990년부터 현재까지 104개 매체의 약 1억여건 뉴스 콘텐츠가 빅데이터화 되어 있습니다. 로그인 안해도 이용 가능하나, 비회원은 자료 검색이 최근 1개월 이내만 되니 무료 회원 가입 후 사용을 추천합니다.

BIGKinds 사용법

① 인터넷 브라우저에서 https://www.bigkinds.or.kr/
입력하거나 [빅카인즈] 검색 후 로그인

② STEP 1. [기본 검색어를 입력하세요] 에 관심 키워드 입력

③ STEP 2. 뉴스, 인용문, 사설 별로 클릭하여 내용 확인

④ STEP 3. 검색한 뉴스의 분석결과와 시각화 자료 확인

8-8. 맞춤법 AI
한국어맞춤법문법검사기

업무용 글쓰기를 한 후에는 맞춤법 띄어쓰기 오탈자 점검이 필수인데요, 네이버 맞춤법 검사 혹은 다음 맞춤법 검사 등을 인터넷 검색 엔진에 검색하면 각각 500자, 700자 이내 맞춤법 검사가 가능합니다. 그런데 사업계획서나 후원 제안서처럼 내용이 긴 글은 여러번 나눠서 입력해야 해서 번거로운데요, 긴 글을 한번에 검사 할 수 있는 방법이 있습니다. 인터넷 검색 엔진에 [한국어 맞춤법 문법 검사기] 검색하거나 http://speller.cs.pusan.ac.kr/ 입력하면 부산대학교 인공지능연구실과 ㈜나라인포테크에서 만든 맞춤법 문법 검사기를 사용할 수 있습니다.

한국어 맞춤법 문법 검사기 사용법

① 인터넷 브라우저에 http://speller.cs.pusan.ac.kr/ 입력
   또는 [한국어 맞춤법 문법 검사기] 검색

② 내가 쓴 글을 붙여넣기

③ [검사하기] 클릭

8-9. 문자 맞춤법·번역AI
네이버 스마트 보드

요즘에는 업무 중에 스마트폰으로 문자나 메신저를 활용하는 경우가 많은데요, 앱 스토어에서 [네이버 스마트 보드]를 다운로드 받으면 문자나 메신저 사용 시 오탈자, 띄어쓰기 등을 점검 후 발송할 수 있습니다. 또 10여개 언어로 자동 번역도 가능합니다.

문자 메신저 오탈자 수정 사용법

① 스마트폰 앱스토어에서 [네이버 스마트 보드] 설치

② 문자, 메신저에서 글 작성 후 [맞춤법] 버튼 클릭

③ 틀린 글자, 띄어쓰기 자동 수정 확인후 전송 버튼 클릭

문자 메신저 외국어 번역 사용

① 스마트폰 앱스토어에서 [네이버 스마트보드] 설치

② 문자, 메신저에서 글 작성후 [외국어 번역] 버튼 틀릭

③ 영어, 중국어, 일본어, 베트남어 등 10여개 언어 택1 후 전송

8-10. 생성형 AI로 쓴 글을 골라내는 AI
GPT 킬러

생성형 AI로 작성한 문서인지 아닌지 알려주는 AI 프로그램도 있습니다. OPEN AI의 "AI 텍스트 분류기"와 우리나라 한글에 특화된 "GPT 킬러" 2종을 소개해드립니다. OPEN AI의 AI 텍스트 분류기는 한글에 특화되어 있지 않고, 가끔 작동을 멈출 때도 있으니 사용시 주의하세요.

1. OPEN AI의 AI 텍스트 분류기
① 인터넷 검색 엔진에서 [OPEN AI 텍스트 분류기] 검색 또는 https://community.openai.com/t/openai-ai-text-classifier 입력
② 글을 붙여 넣고 검사 클릭

2. GPT 킬러
GPT 킬러는 인터넷 검색 엔진에서 https://www.copykiller.com/ 입력 하거나 [카피킬러] 검색하여 회원 가입만 하면 무료로 이용할 수 있습니다.

GPT 킬러는 유일한 한국어 특화 서비스로, 한글로 작성한 문서에서 생성형 AI 작성 여부를 파악할 수 있는 AI입니다. GPT 킬러는 논문, 자기소개서, 과제에서 생성형 AI가 작성했는지 아닌지 100% 파악할 수 있습니다.

현재 일부 대학에서는 대학생 과제 제출 시 교수자가 생성형 AI 사용 여부에 대해 3가지 방법으로 기준을 제시하도록 하고 있습니다. 생성형 AI사용을 못하게 하거나, 생성형 AI를 사용한 부분을 표기하면 사용할 수 있게 하거나, 혹은 생성형 AI 사용 불가로 교수자가 선택할 수 있는데요, GPT 킬러는 학생이 낸 과제에서 생성형 AI를 사용했는지를 판단하는데 사용할 수 있습니다. 또 한국연구재단에서는 연구수행자가 생성형 AI를 활용하여 작성한 문서는 인용 표기를 하고 제출하도록 하는데요, 인용 표기가 없어도 생성형 AI를 사용했는지 여부를 파악할 때도 사용 가능합니다.

GPT 킬러 사용법

① 인터넷 브라우저에서 https://www.copykiller.com/ 입력
또는 [카피킬러] 검색

② 로그인

③ [표절 검사 하기] 클릭

④ [파일 선택]으로 파일을 붙여넣거나 [직접 입력]으로 바로 입력

9부. AI와 미래 사회복지

9부에서는 AI를 미래 사회복지에서
어떻게 활용해야 할지를 판단하기 위해
AI의 한계, 윤리적 글쓰기를 위한 가이드 라인,
AI와 인간의 협업에 대해 알려드립니다.

9-1. AI의 한계

생성형 AI는 몇가지 치명적인 문제가 있습니다. 이는 생성형 AI의 태생적인 특징과 관련 있습니다. 1부에서 생성형 AI의 특징으로 "생성형 AI는 사전 학습 한 내용을 바탕으로 사용자 질문에 가장 확률이 높은 답변을 자연어로 제공해 주는 인공 지능"이라고 말씀드렸는데요, 여러 가지 문제로 인해 현재 생성형 AI 사용에는 사용자 나이 제한이 있습니다. 챗 GPT는 13세 미만 사용 불가, 13~18세 보호자 동의 필요로 공지가 되어 있습니다. 뤼튼은 전체 연령에서 사용 가능하지만, 13세 미만은 보호자나 교사 지도를 권고합니다. 구글 제미나이는 미성년자 사용 불가이고, 18세 이상 구글 계정 인증 후 사용하도록 제한을 두고 있습니다.

챗 GPT	13세 미만 사용 불가 13~18세 보호자 동의 필요
뤼튼	전체 연령가 사용 가능 13세 미만은 보호자나 교사 지도를 권고
제미나이	미성년자 사용 불가 18세 이상 구글 계정 인증 후 사용 가능

1. 사전 학습으로 인한 문제

"사전 학습"을 했기에 학습이 끝난 이후의 내용을 모릅니다. 아숙업은 2021년 10월까지 사전 학습 하였고, 챗GPT-4는 2023년 10월까지 학습 하였습니다.

아숙업에 "오늘 서울 날씨가 어때?" 라고 물어보면 "저는 2021년까지의 정보만 알고 있어서, 오늘 서울의 정확한 날씨를 알려드릴 수 없습니다. 하지만 서울 날씨를 확인하고 싶으시다면 인터넷 기상 서비스나 날씨 앱을 이용하시는 것을 추천드립니다. "오늘 서울 날씨"라고 검색하면 쉽게 확인하실 수 있을거에요. 즐거운 하루 보내세요!" 라고 답변 합니다.

프롬프트	오늘 서울 날씨가 어때?

물론 실시간 검색 기능이 포함된 '제미나이' 또는 '빙'을 활용하면 프롬프트 아래에 오늘 날씨에 대한 정보가 노출되지만, 자연어 답변으로 알려주는 것이 아니라 정보 노출로 알려주는 것입니다. 사회복지 현장은 매우 빠르게 발전하고 있습니다. 하루가 다르게 새로운 사회 문제가 발생하고 있는데, 생성형 AI는 몇년전 세상에서 답변을 하는 것입니다. 따라서 최신 정보를 모른다는 한계가 있습니다.

2. 편향성과 가짜 정보

생성형 AI는 인터넷에 있는 정보를 사전 학습 하다보니 원본 글이 가짜인지 진짜인지 검증받지 않은 정보를 마구 수집한 상태입니다. 생성형 AI는 진짜 정보와 가짜 정보가 무엇인지 모르고, 정보를 검증 하는 매커니즘이 없습니다. 또 인터넷에 있는 정보를 사전 학습 하다보니 원본 글을 작성한 사람이 가진 인종, 지역, 차별, 혐오를 모두 흡수한 상태입니다. 우리가 질문을 하면 생성형 AI는 인종, 지역, 차별, 혐오가 포함된 답변을 하고 있습니다. 또 인터넷 상의 자료의 언어 분표를 살펴보면 60.4%가 영어 이고, 한국어 자료는 0.1%인데요, 과반수 이상의 자료가 영어 이다보니 영어권 사람의 생각, 문화, 가치관, 사고방식으로 답변을 생성하게 됩니다.

실제 연구에서도 이런 평향성이 드러났는데요, 평상빈·류위한·율리아 츠벳코프 연구진 논문을 보면 생성형 AI에 경제와 정치에 대한 60여개의 질문을 넣고 나온 답변을 분석해보니 구글 버드는 권위주의이면서 경제적 좌파 답변을 했습니다. 챗 GPT-4는 자유주의이면서 경제적 좌파 답변을 했습니다. 알파타는 권위주의이며 경제적 좌파 답변을 했습니다. 메타 라마는 권위주의이며 경제적 우파 답변을 했습니다. 이렇듯 생성형 AI의 편향성이 답변에 반영이 됩니다. 사회복지사는 우리 사회 구성원 누구보다 차별과 편견에서 자유로워야 하는 전문직인데요. 이런 편향성이 반영된 답변을 그대로 활용하면 안됩니다.

3. 민감 정보 노출의 문제

챗 GPT는 오픈 AI에서 운영하고, 제미나이는 구글, 빙은 MS에서 운영하는 프로그램인데요, 생성형 AI에 입력한 자료는 대부분 해당 업체 서버에 수집됩니다. 생성형 AI는 인터넷에 있는 모든 자료를 '사전 학습'을 합니다. 프롬프트에 한번 입력된 정보는 서버에 남아서 이후 다른 이용자가 관련 정보를 요구할 때 활용되고 있습니다.

실제로 삼성 전자가 기업에서 챗 GPT사용을 허가하자마자 민감한 사업 정보가 미국 기업의 학습 데이터로 입력된 것이 발견되며 즉시 사용 중지를 한 사례도 있습니다. 사회복지사들은 기관이나 클라이언트, 작성자에 대한 민감 정보를 입력하지 않도록 주의가 필요합니다.

즉 프롬프트 활용시 "김은지, 2000년 2월 29일생. 전화번호 010-1234-5678, 주민등록 번호 000229-123456, 주소 서울 희망구 희망동 376번지" 등과 같은 개인 정보를 입력하면 전 세계에서 검색이 되는 것입니다. 프롬프트 입력 시에는 "20대 여성"으로 익명 정보를 기반으로 해야 합니다. 개인 정보가 포함된 서류를 생성형 AI에 업로드 하지 않도록 주의해야 하고, 신용카드 번호나 은행 계좌 번호 비밀번호 등 금융 정보도 입력하지 않아야 합니다.

4. 거짓말 및 답변 출처 미 제공

생성형 AI는 "가장 확률이 높은 답변"을 하도록 설정이 되어 있어서 거짓말을 하는 환각 현상을 보입니다. 100% 믿으면 안되고, 근거를 찾아서 검증 후 사용해야 합니다. 사회복지사가 작성한 사업계획서에 실존하지 않는 논문이나 통계, 데이터를 활용하면 안되겠지요? 생성형 AI가 써준 글에서 신문이나 논문 등의 근거를 명시해야 하는 자료는 글을 기반으로 거꾸로 인터넷 검색이나 전문가 의견 자문 등을 통해 출처를 다시 찾아서 표기를 해야 표절이 아닌 정당한 인용을 할 수 있습니다.

가능한 공식 문서 및 정책을 참고하고, 사용자의 상식과 기본 지식 검토를 통해서 생성형 AI 답변의 현실성을 검증하세요. 우리가 쓰는 문서의 작성자는 바로 '나' 이고, 내가 쓴 글에 대한 책임은 담당자인 '사회복지사'에게 있기 때문입니다.

5. 전기 소모량 많음

생성형 AI는 전기 먹는 하마라고 표현을 하는데요, 생성형 AI 사용시 또 한가지 문제는 전기 소모가 매우 많다는 점입니다. 요즘 사회복지 현장에서는 ESG 경영이 화두인데요, 생성형 AI는 전기 소모가 많아서 탄소를 많이 발생시킵니다. 2027년에는 AI가 사용하는 전기량이 한 국가의 전체 전기량과 비슷할 정도로 늘거라는 신문보도가 있었는데요, 생성형 AI는 여러번 생성해도 돈이 안들고, 사용시 마다 답변이 정교해지기에 한번 답변을 생성하기 위해 여러 번 프롬프트를 사용하는데요, 그 과정에서 많은 전기를 사용하게 되어 친환경적이지 않습니다.

6. 그 외

그 외에도 표절과 지적 재산권 침해, 복잡하고 긴 문장 이해 못함, 한글 이해력 부족, 답변 시 멈춤 등 시스템 불안정, 가짜 정보에 따란 윤리 문제, AI 모델의 악용 및 환각 현상에 따른 사회적 혼란을 조성 가능성, 해커나 범죄자에 의한 악용 가능성, 검증되지 않은 결과물의 공유로 잘못된 의사 결정 유도 등 다양한 문제가 있습니다.

이런 다양한 문제로 인해 사용자 나이 제한 외에도 구체적인 사용 가이드 라인이 필요한 상황입니다.

9-2. AI 사용 윤리
참고 자료

사회복지사는 생성형 AI 사용시에도 사회복지 전문가로서 윤리를 지켜야 하기에, 생성형 AI 사용 윤리에 대한 점검이 필요합니다. 아직 사회복지사의 생성형 AI 사용 윤리에 대한 정리된 자료가 없기에 한국 저작원 위원회, 국가정보원, 한국 연구 재단, 하버드 대학, N 웹툰사, 대학, 일반 IT 기업의 생성형 AI 사용 가이드 라인을 살펴보겠습니다.

1. 한국 저작권 위원회 <생성형 AI 저작권 안내서>

한국 저작권 위원회 <생성형 AI 저작권 안내서>에서는 저작권에 대한 다양한 이슈를 다루고 있습니다. 사람들이 가장 많이 물어보는 질문은 바로 '저작권'입니다. 생성형 AI에 작성하는 프롬프트에 대해 저작권이 있는지와 생성형 AI가 생성한 답변에 대한 저작권이 있는지를 궁금해합니다. 결론부터 말씀드리면 현재 생성형 AI에 작성하는 프롬프트와 생성형 AI가 생성한 답변은 저작권이 없습니다.

저작권은 인간이 만든 창작물에만 적용이 되는데 생성형 AI는 인간이 아니여서 저작권이 인정되지 않습니다. 생성형 AI가 그려주는 그림이나, 만들어주는 음악, 만들어주는 영상, PPT에도 저작권이 없는 것입니다. 비슷한 예시로 생성형 AI를 활용하여 쓴 연구 논문이나 책의 저자로 생성형 AI를 작성자로 등록 가능한지에 대한 질문에서도 인간이 아니여서 저자로 등록되지 않고, <네이처><사이너스>등의 주요 논문지에서는 생성형 AI가 공동 저자인 논문은 승인하지 않는다고 발표하였습니다. 그렇지만 앞으로 저작권에 대한 부분은 다툴 여지가 있는데요, 프롬프트에 단순히 [노인이 주인공인 소설을 써줘]라고 입력했을 때는 저작권이 인정되지 않습니다.

프롬프트	노인이 주인공인 소설을 써줘

프롬프트	70대 할아버지와 할머니가 주인공인 로맨스 대하 역사 소설을 쓸 거야. 할아버지는 미국 국적인데 1980년 한국에서 거주하면서 주재원으로 근무를 했어. 그때 한국 사람인 김순이 할머니를 25살에 만났어. 갑자기 본국 부모님이 아파서 미국으로 돌아간 후 연락이 두절되었다가 65살에 우연히 한국에 여행 온 할아버지를 다시 만나게 되었어. 여기까지가 1막이야. 열린 결말로 3,000자 시나리오를 써줘

하지만 [70대 할아버지와 할머니가 주인공인 로맨스 대하 역사 소설을 쓸 거야. 할아버지는 미국 국적인데 1980년 한국에서 거주하면서 주재원으로 근무를 했어. 그때 한국 사람인 김순이 할머니를 25살에

만났어. 갑자기 본국 부모님이 아파서 미국으로 돌아간 후 연락이 두절되었다가 65살에 우연히 한국에 여행 온 할아버지를 다시 만나게 되었어. 여기까지가 1막이야. 열린 결말로 3,000자 시나리오를 써줘] 라고 자세한 플롯이나 캐릭터, 서사가 제공되고 생성형 AI가 글로 표현해주는 도구로만 사용되었다면 추후에는 프롬프트에 저작권이 인정될 가능성도 있다고 미국 특허청에서 발표를 하였습니다. 즉, 아직까지는 회색 지대에 있다고 말 할 수 있습니다.

또 다른 이슈는 AI가 학습을 위한 사용한 데이터가 작성자인 인간의 저작권을 침해하는가에 대한 문제 인데요, 이 부분은 원저작자를 증명하기 어렵고 AI가 생성한 콘텐츠에 대해 아직 정확한 개념화가 되지 않아서 정리 되지 않은 상태입니다.

한국 저작원 위원회 <생성형 AI 저작권 안내서> 에서는 그 외에도 개인 정보 보호에 대한 주의도 강조합니다. 인터넷에 올리는 글은 모두 생성형 AI 학습에 이용될 수 있음으로 생성형 AI에 학습되는 것이 싫은 자료는 반대 의사를 분명히 명시하고, 약관 규정 명시, 로봇 배제 표준 적용 등 기술적인 조치를 하도록 권고하고 있습니다.

2. 한국 연구 재단

<생성형 인공지능(AI) 도구의 책임 있는 사용을 위한 권고사항>

한국 연구 재단에서는 심사위원에게는 생성형 AI 사용(업로드) 금지, 작성자에게는 사용 여부를 표기 후 사용하도록 안내하고 있습니다.

<생성형 인공지능(AI) 도구의 책임 있는 사용을 위한 권고사항>을 살펴보면 "한국연구재단이 지원하는 연구개발 과제의 평가에 참여하는 평가위원은 각종 평가자료를 생성형 AI 도구에 입력(업로드)하지 말아야 합니다. 한국연구재단의 연구 개발 과제 평가 등에 관여한 평가위원 등이 생성형 AI에 연구 개발 과제 관련 정보를 업로드하는 행위는 국가연구개발혁신법 제40조 비밀 유지 의무에 위반될 수 있음. 한국연구재단 지원 과제의 신청·수행자는 연구개발계획서 및 단계·최종보고서 작성 과정에서 생성형 AI 도구를 사용한 경우, 계획서 및 보고서에 사용 내역을 기술할 것을 권장합니다. "라고 명시되어 있습니다.

3. 국가정보원

<챗 GPT 등 생성형AI 활용 보안 가이드라인>

국가정보원 가이드 라인에서는 7가지 보안 원칙을 제시합니다.

① 민감한 정보 입력 금지

② 생성물에 대한 정확성·윤리성·적합성 등 검증

③ 가짜 뉴스 유포·불법물 제작·해킹 등 범죄에 악용 금지

④ 생성물 활용 시 지적 재산권·저작권 등 법률 침해 위반 여부 확인

⑤ 악의적 거짓 정보를 입력·학습 유도하는 등 비윤리적 활용 금지

⑥ 연계·확장 프로그램 사용 시 보안 취약 여부 등 안전성 확인

⑦ 로그인 계정에 대한 보안 설정 강화 및 다중 인증 설정 등 보안 관리 철저

4. 하버드 대학 버크만 센터 <인공 지능 준칙 백서>

하버드 대학 버크만 센터 <인공 지능 준칙 백서>에서 AI 윤리 원칙은 크게 8가지로 나뉩니다. 프라이버시, 책임성, 안전과 보안, 투명성과 설명 가능성, 공정성과 차별금지, 인간의 기술 통제, 직업적 책임, 인간 가치 증진으로 구분하여 살펴볼 수 있는데요, AI 윤리 원칙 8가지의 세부 내용과 예시를 들어 설명하는 프롬프트를 입력하겠습니다.

프롬프트	AI 윤리 원칙 8개를 설명하는 글을 적으려고 해. 프라이버시, 책임성, 안전과 보안, 투명성과 설명 가능성, 공정성과 차별금지, 인간의 기술 통제, 직업적 책임, 인간 가치 증진을 각 항목별로 예시를 넣어서 적어줘

생성형 AI의 답변

생성형 AI 답변	① 프라이버시: 사용자의 개인정보 보호와 데이터의 기밀성을 유지하는 것입니다. 예를 들어 의료 분야에서 환자의 건강 정보를 처리할 때, 해당 정보가 환자의 동의 없이 공유되지 않도록 AI 시스템을 설계하는 것입니다. ② 책임성: AI 시스템의 결정과 행동에 대해 인간이 책임을 지는 것입니다. 예를 들어 자율 주행차가 사고를 일으켰을 때, 해당 기술을 개발한 기업이 사고의 원인 분석과 책임을 지고 해결책을 마련합니다.. ③ 안전과 보안: AI 시스템이 사람들에게 해를 끼치지 않고, 외부 공격으로부터 보호되도록 하는 것입니다. 예를 들어 은행에서 사용하는 AI 기반의 사기 탐지 시스템은 고객의 자산을 보호하며, 시스템 자체도 해킹으로부터 안전해야 합니다. ④ 투명성과 설명 가능성: AI 시스템의 작동 방식과 결정 과정을 이해할 수 있도록 하는 것입니다. 예를 들어 채용 프로세스

생성형 AI 답변	에서 AI를 사용할 때, 어떤 기준으로 후보자를 평가하는지 명확히 하여, 사람이 시스템의 결정을 이해할 수 있도록 합니다. ⑤ 공정성과 차별금지: AI 시스템이 모든 사용자에게 공평하게 서비스를 제공하며, 차별적인 행위를 하지 않도록 하는 것입니다. 예를 들어 대출 승인 시스템이 인종, 성별, 연령 등에 기반한 차별 없이 오직 신용도와 같은 객관적인 기준으로만 판단합니다. ⑥ 인간의 기술 통제: AI 시스템은 항상 인간의 통제하에 있어야 하며, 인간의 의사 결정을 보조하는 도구로서 기능해야 합니다. 예를 들어 병원에서 사용하는 진단 지원 시스템은 의사의 결정을 대체하는 것이 아니라, 의사가 더 정확한 진단을 내릴 수 있도록 정보를 제공합니다. ⑦ 직업적 책임: AI 기술을 개발하고 관리하는 전문가들은 그들의 업무에 대한 윤리적 책임을 인식하고, 사회적으로 책임감 있는 방식으로 행동해야 합니다. 예를 들어 AI 연구자와 개발자는 AI 시스템이 사회적 약자를 차별하지 않도록 주의를 기울이며, 공공의 이익을 해치지 않도록 노력합니다. ⑧ 인간 가치 증진: AI 기술의 최종 목표는 인간의 삶의 질을 향상시키고, 사회적 가치를 증진시키는 것입니다. 예를 들어 교육 분야에서 AI를 활용하여 개인별 맞춤형 학습 프로그램을 제공함으로써, 모든 학생이 자신의 잠재력을 최대한 발휘할 수 있도록 합니다.

5. 웹툰사 <공모전 규정>

웹툰사를 살펴보면 N 웹툰사에서는 2023년 5월부터 공모전에 생성형 AI 사용을 금하고 있고, K 웹툰사에서도 인간이 손으로 그린 것만 제출하도록 명시되어 있습니다.

6. 대학 <생성형 AI 사용 과제에 대한 가이드 라인>

모 대학의 생성형 AI 사용 과제에 대한 가이드 라인에서는 교수자가 3가지 중에 1가지 입장을 정해서 공지하도록 되어 있습니다.

① 생성형 AI 사용 가능

② 생성형 AI 사용시 사전 승인 혹은 출처 표기후 사용 가능

③ 생성형 AI 사용불가

7. 생성형 AI 기업의 논의

최근 생성형 AI로 딥페이크 기술이 발달하면서 생성형 AI로 만든 영상에는 생성형 AI로 제작했음을 표기하는 방안이 검토되고 있습니다. 글로벌 팝스타 테일러 스위프트의 얼굴을 AI로 합성한 딥페이크 음란물이 무차별적으로 유포되는 등 사회 문제가 야기되고 있기 때문입니다. 구글·어도비·틱톡 등 콘텐츠·플랫폼 기업들은 자체적으로 AI 생성 이미지·영상에 워터마크나 이력 정보를 표시하는 기술을 도입하는 중입니다.

9-3. AI와 사회복지 글쓰기 윤리 가이드 라인

생성형 AI 기술은 아직 미완성입니다. 지금도 계속 발전하고 있고 앞으로 어디까지 어떻게 발전할지 아무도 모르는 상태입니다. 다양한 자동화 기능이 생기면서 미처 예상하지 못한 윤리 문제, 안전 문제, 사회복지 가치와의 충돌이 생길 수 있습니다. 앞으로 다양한 생성형 AI에 대해 이미 윤리적인 문제가 생겨나고 있고, 생성형 AI 윤리 문제에 대해서는 전인류적인 대처가 필요해 보입니다.

아직 사회복지 현장에서는 이렇다 할 가이드 라인이 없는 상황인데요, 9-2번 목차의 자료들을 참고하여 사회복지 현장에서 적용해 볼 생성형 AI 사용에 대한 사용 가이드 라인을 다음과 같이 제안 합니다. 사회복지 현장의 생성형 AI 사용시 전면 사용이 가능한 영역과 인용 표기 후 부분적으로 사용할 영역, 사용을 제한 할 영역으로 구분할 필요가 있습니다.

생성형 AI 전면 사용	생성형 AI 부분 사용	생성형 AI 사용 금지
-아이디어 수집 -검색용 -기존 자료 검토 -글 초안 작성용 -복잡한 글 요약 -사람이 쓴 글을 퇴고하는 용도 -구어체로 작성하는 일반 국민용 업무용 글쓰기	-발췌 -문어체와 전문 용어로 작성하는 업무용 글쓰기 -생성형AI가 쓴 글을 직접 사용시 인용 표기 후 사용	-채용/연구/논문/심사 관련 문서 (작성자 및 심사자) - 기관·직원·이용자의 민감 정보 및 금융 정보 등

1. 생성형 AI 전면 사용

생성형 AI는 슈퍼비전을 받기 어려운 1인 사회복지사나 초보 사회복지사에게 유용한 아이디어 도구가 될 수 있습니다. 아이디어가 필요할 때 인터넷 검색처럼 기초 정보 탐색을 위해 폭넓게 다양한 생성형 AI를 사용해 볼 것을 권유합니다. 회의를 하기 전에 생성형 AI로 정보 검색 후 대안을 선택한다면 회의에 소요되는 시간을 대폭 줄일 수 있습니다. 글을 처음 시작하기 전 막막할 때 초안을 잡는 용도로 폭넓게 사용하세요. 기존 자료와 단순 정보로 글과 이미지를 조합하여 설명할 때 사용하세요. 내가 작성한 두서없는 글을 다듬는 용도로 사용하세요. 이런 업무에서는 보조 도구로 생성형 AI를 적극 활용하기를 추천합니다.

2. 생성형 AI 사용 시 인용 표기 후 사용 제안

한국연구재단에서는 대학에서 연구하는 2,822명에게 AI 사용에 대해 인식 수준 조사를 해보니, AI를 연구에 활용 중인 연구자는 10% 였지만 약 53%는 AI가 연구 윤리 준수에 이미 심각한 문제가 되고 있거나 될 것이라고 인식하고 있었습니다. 논문 작성 과정에서 생성형 AI를 활용하고 이에 대해 기술하지 않는 것을 연구부정행위라고 인식하는 비율이 62%이고, 논문 심사나 과제 평가시 생성형 AI를 활용하는 것이 비밀유지의무 위반이라고 인식하는 비율도 43%였습니다.

한국연구재단에서는 AI가 쓴 글을 사용 시 인용 표기를 하도록 제안하는데요, 사회복지 현장에서도 생성형 AI를 사용하되, 생성형 AI의 답변을 그대로 사용 시는 사용 내역을 표기하는 것이 필요합니다. 생성형 AI는 환각 현상으로 부정확한 정보를 제공할 수 있고, 확률에 기반하여 데이터를 생산하여 부정확합니다. 또 출처가 정확하지 않은 정보나 차별 편견 등을 학습하여 편향된 답변을 할 수 있습니다. 원본 저작물 표절 가능성과 검증되지 않은 가짜 논문의 재인용이 될 수 있습니다. 생성형 AI가 써준 글에 대해 출처나 인용, 사실 여부를 확인이 필요합니다. 특히 모금 전문 기관이나 정부 지원 사업 등의 경우 지원 사업 작성자는 생성형 AI 사용 시는 내역을 표기하도록 하는 규정이 필요한데요, 생성형 AI 인용 표기는 아래처럼 표기할 수 있습니다.

생성형 AI 인용 표기 예시

인용예시	
	챗 GPT-3.5(2025. 5. 1.)"프롬프트내용" OPEN AI사의 챗 GPT3.5를 이용하여 생성 또는 작성함. http://chat.opwnai.com/
	미드저니(2025. 5. 1.)"프롬프트내용" 미드저니사의 미드저니를 이용하여 생성 또는 작성함. https://www.midjourney.com

3. 생성형 AI 사용 금지 업무 설정

최근 대학생이나 신입 직원들이 입사 서류 중 하나인 '자기 소개서'를 생성형 AI로 작성해서 제출하는 경우가 많은데요, "신입 직원 입사 서류는 생성형 AI 작성을 금지한다. 생성형 AI 사용시 서류 탈락한다"라고 명시할 필요가 있습니다. 신입 직원 채용시 자기 소개서는 요식 행위로 제출하는 서류가 아니라 채용 대상자의 논리적인 글쓰기 능력을 파악하기 위함인데, 내가 쓴 글이 아닌 것으로 심사를 받는 것은 다른 사람의 자기소개서를 제출하는 것과 마찬가지입니다. 이렇게 명시하지 않았다면 서류 전형 말고 필기 전형이나 면접 전형을 강화하여 적정한 인재를 채용되기 위한 보안책이 필요하다고 생각합니다. 반대로 채용 서류를 심사하는 인사위원이나 기관은 채용 서류를 생성형 AI에 업로드하여 심사하는 것을 금지해야 합니다. 채용 예정자의 민감 정보가 불특정 다수에게 노출될 수 있기 때문입니다. 모금 전문 기관이나 정부 지원 사업 등의 경우에도 심사 위원들은 생성형 AI에 자료를 업로드 하는 것을 금지하는 규정도 필요합니다. 자료 업로드를 통해 각 기관별 민감 정보가 노출 될수 있고, 지적 재산이 침해당할 수 있기 때문입니다.

사회복지 현장에서는 사회복지 사업과 제도의 대국민 홍보를 위해 다양한 SNS 글 작성이 필수인데요, 인터넷에 작성하는 글에 개인정보나 민감 정보가 미포함되도록 더욱 주의가 필요하고, 인트라넷이나 홈페이지 보안을 더욱 신경 써야 합니다. 클라이언트 개인 정보나 기관의 기밀 정보, 직원의 민간 정보가 들어간 내용은 생성형 AI 업로드 금지가 운영 규정에 명시되어야 하고, 업무용 컴퓨터와 개인 정보가 기록된 문서는 모두 비밀 번호를 설정하는 것이 필요합니다.

사회복지 현장에서는 외부의 일반 기업의 사용 윤리보다 엄격한 생성형 AI 윤리를 적용하는 것이 필요합니다.

9-4. AI와
사회복지사의 협업

생성형 AI 시대, 미래 사회복지사는 어떻게 해야 할까요?

1. 생성형 AI 사용은 필수

한번 생성형 AI를 쓰기 시작한 이상, 쓰기 전의 삶으로 돌아가기는 힘들 것 같습니다. 전 세계에서 사용자 1억 명을 달성하는데 걸린 시간을 살펴보면 구글이 8년이 소요되었고, 유튜브는 2년 1개월이 소요되었는데 반해 챗 GPT는 2개월 밖에 걸리지 않았습니다. 챗 GPT가 일반 대중에게 공개된 지 몇 달 만에 수백수천 개의 생성형 AI를 기반으로 한 프로그램과 플랫폼이 생겨났습니다. 2022년에 이미 생성형 AI 시장 규모가 13조 원이었는데, 2030년까지 약 142조로 시장이 발달할 것으로 예상됩니다.

현장에서 일하는 사회복지사 중에 스마트폰이 없는 사회복지는 거의 없고, 수기로 계획서를 작성하는 분도 없지요? 생성형 AI를 사용하는 것은 앞으로 '스마트폰'을 사용하는 것처럼 흔해질 것입니다. 생성형

AI를 너무 의존할 필요도 없고, 그렇다고 터부시하며 안 쓸 이유도 없습니다. 이지성 작가는 『에이트』에서 앞으로 세상은 인공 지능을 지배하는 사람과 인공지능에게 지배 당하는 사람으로 나뉠 것이라고 말했습니다. 이와 비슷하게 생성형 AI가 사람을 대체하지는 못하지만, 생성형 AI를 쓰는 사람이 안 쓰는 사람을 대체할 수는 있다고 전문가들은 말하는데요, 저도 이 의견에 동의합니다.

생성형 AI를 사용하면 업무 생성형이 약 14~80% 향상 효과가 있다고 합니다. 앞으로 AI에게 우리 일자리를 다 뺏기는 거 아니냐고 염려하는 분들이 있습니다. 다른 직업은 모르겠지만, 사회복지사는 아닙니다. 사회복지사가 하는 일은 AI가 못하는 일이 더 많습니다. 생성형 AI를 실제 사용해 보니 구어체로 편안하게 작성하는 글쓰기에는 소요 시간 대비 결과물이 좋았습니다. 하지만 문어체로 전문적인 내용으로 작성해야 하는 글쓰기에는 조금밖에 도움이 안 되었습니다. 생성형 AI는 새로운 사회 문제를 인식하지 못합니다. 새로운 사회 문제를 인식하지 못하기에 새로운 상황 대처를 못합니다. 사회복지사의 특기인 협업, 협상, 설득, 공감, 사람과 사람을 연결하는 일을 못합니다.

생성형 AI는 3년 차 미만 신입 사회복지사보다 기초 업무용 글쓰기를 잘합니다. 하지만 3년 차 이상 사회복지사부터는 사람이 더 나은 글을 씁니다. 생성형 AI가 사람을 대체하지는 못하지만, 생성형 AI를 쓰는 사람이 안 쓰는 사람을 대체할 수는 있기에 우리는 AI 시대에 맞는 역량을 준비해야 합니다.

2. 사회복지 특화 프롬프트 엔지니어링 필요

아직 사회복지 현장에서는 사회복지사 업무에 딱 맞는 프롬프트 엔지니어징이 개발되지 못했습니다. 저도 그동안 생성형 AI를 주제로 한 책을 수십 권 읽었고, IT 전문가의 강의도 수차례 들었고, 생성형 AI 강사 자격증도 취득해 보았지만 대부분 일반 기업에서 사용되는 프롬프트가 많아서 사회복지 현장에 적용하기 힘들었습니다.

그래서 이 책을 기획한 이유도 있는데요, 이 책에는 사회복지사의 업무용 글쓰기에 적절한 프롬프트를 연구하고 생성형 AI와 씨름하며 만든 140여 개의 프롬프트를 소개합니다. 사회복지사들의 집단 지성을 모아 사회복지 현장에 딱 맞는 프롬프트들이 많이 발굴되어 더 많은 사회복지사의 업무에 도움이 되길 기대합니다.

앞으로 많은 사회복지사들이 생성형 AI를 제대로 사용하기 위해서 끊임없는 프롬프트 입력 연습과 응용 방법을 찾아 공유하면 더 많은 사회복지사들이 업무에 생성형 AI를 더 편리하고 효과적으로 사용할 수 있지 않을까 행복한 상상을 해봅니다.

3. AI는 원본이 아니라, 복제품

앞으로 생성형 AI로 모든 글쓰기를 할 수 있는 건가? AI가 스스로 자기 학습으로 점점 더 발전해서 잘 쓰게 되는 날이 오지 않을까라고 생각하시나요? 죄송하지만 그건 어려울 것 같습니다. 일본 이화학 연구소 하타야 류이치 연구팀이 "오리지널의 실종 - 사람이 그린 그림이 아니라, 인공지능이 그린 그림으로 학습 시키면 어떻게 될까?"라는 의문을 가지고 실험을 진행했습니다. 인간이 그린 그림 원본 100% 넣었을 때, 인간이 그린 그림 원본 80%에 인공 지능이 그린 그림을 20% 넣었을 때, 인간이 그린 그림 원본 60%에 인공 지능이 그린 그림을 40% 넣었을 때, 인간이 그린 그림 원본 20%에 인공 지능이 그린 그림을 80% 넣었을 때 새로운 그림 생성률을 살펴보았는데요, 결과는 인공 지능이 그린 그림 비율이 늘어갈수록 창의력이 75.6%에서 65.3%로 점점 낮아졌습니다. 결국 AI는 자기 복제로 한계가 있다는 것입니다.

인간 100%	인간 80% AI 20%	인간 60% AI 40%	인간 20% AI 80%
75.6%	74.5%	72.6%	65.3%

AI는 원본이 아니라, 복제품입니다. 인터넷에 쓴 인간의 글을 광범위하게 표절하고 있는 복제품이고, 인간인 내가 쓰는 글이 원본입니다. 아무리 서툴러도 내가 만난 클라이언트의 욕구를 기반으로 내가 작성한 글이 원본입니다.

생성형 AI는 우리의 업무를 도와주는 최고의 제너럴리스트라고 볼 수 있습니다. 하지만 스페셜리스트는 될 수 없습니다. 생성형 AI는 사람이 프롬프트를 입력해야 작동하는데요, 작성자가 1차원적인 프롬프트를 입력하면 1차원적인 답변을 합니다. 하지만 여러분이 클라이언트에 대한 깊이 있는 이해와 전문 지식으로 바탕으로 프롬프트를 입력하면 생성형 AI도 고차원의 답변을 합니다. 즉, 생성형 AI를 업무에 잘 활용하기 위해서라도 여러분은 더욱 전문가가 되어야 합니다.

사회복지사가 행정 업무나 회의에 소요되는 시간이 줄어들면 그 시간에 10분이라도 클라이언트를 더 만나고, 전문 프로그램 진행을 위해 논문을 한 개라도 더 찾아봐야 합니다. 욕구 조사라도 한 번 더 하면서 단순 업무 소요 시간을 전문성 향상의 시간으로 바꾸어야 합니다.

사회복지사 여러분, 앞으로 우리는 AI보다 전문가가 되어야 살아남을 것입니다. 인간만이 할 수 있는, 더 가치 있는 것 '나'만 할 수 있는 차별화가 더욱 필요합니다. AI 때문에라도 우리는 더욱 전문가가 되어야 합니다.

9-5. AI와 미래 사회복지사의 역량

미래 사회복지사는 어떤 역량이 필요할까요? 먼저 사회복지사의 정의, 클라이언트의 정의, 사회복지 글쓰기의 의미를 살펴보겠습니다. 사회복지사는 어떤 사람인가요? 제가 생각하는 사회복지사는 “사회 문제를 해결하고 예방하는 전문가, 사람과 사회를 연결하는 전문가”입니다. 우리가 만나는 클라이언트, 사회적 약자는 어떤 사람인가요? 제가 가장 동의하는 사회적 약자에 대한 정의는 “약자는 자기 목소리를 잃어버린 사람”입니다. 사회복지사의 글쓰기는 우리 사회에서 어떤 의미가 있을까요? 제가 생각하는 사회복지 글쓰기의 의미는 “목소리를 잃어버린 사회적 약자의 목소리를 대변하는 사회적 글쓰기”라고 생각합니다.

생성형 AI가 나온 세상에서 미래 사회복지사는 어떤 준비를 해야 할까요? 우리가 하는 글쓰기는 어떤 의미를 갖게 될까요? 이 답을 찾기 위해 사회복지사의 기본 역량을 찾아보았습니다. 아래 표는 원영희 외(2010)의 연구에서 제시된 사회 복지 교육 역량입니다. 기존 역량에 추가로 어떤 역량이 필요할지 지식, 기술, 가치와 태도 측면으로 구분하여 살펴보겠습니다.

구분	지식	기술	가치·태도
원영희 외	인간과 환경 이해 관련 정책과 법 이해 실천 이론 이해 사회복지 행정 이해	개별·집단 실천기술 관계·협력 기술 지역사회 실천기술 사례관리 기술 프로그램 개발평가 기술 조사·연구 기술 행정·관리 기술	전문가적 속성 자기 관리 능력 조직 및 업무 중심 윤리 및 고객 중심 기초 공동 능력
전안나	AI 기본 이해, 휴먼 터치 지식	AI 프롬프트 등 사용 기술	AI와 사회복지 윤리, AI로 새로운 사회 문제 개입 및 해결

1. 지식

먼저, 지식 측면에서는 AI에 대한 기본 이해와 강점과 약점에 대한 지식이 필요합니다. AI를 잘 활용하기 위해 사회복지 전문 지식을 기반으로, 프롬프트 사용법에 대한 기본 지식을 배워 적극적으로 사용해야 합니다. 새로운 발명품이 개발된 것을 수용하고 적극적으로 활용하세요. 참고 문헌에 있는 AI에 대한 책을 두루 읽어보고, 이 책의 프롬프트를 실습하면서 사용법을 익히세요. 그와 동시에 '휴먼 터치'의 필요성과 방법에 대한 지식도 필요합니다.

스티브 잡스는 2007년 스마트폰을 전 세계 사람들 손에 하나씩 쥐여

줬습니다. 사람들이 스마트폰과 유튜브에 빠져있을 때 스티브 잡스는 역설적이게도 인문학을 공부했습니다. 많은 IT 전문가들은 수많은 하이 테크 기술의 끝은 다시 '휴먼'이라고 말합니다. 하이 테크의 반대점에 있는 인간적인 감성이 하이 테크 시대일수록 더 유행한다는데요, 앞으로 더 발전할 사회에서는 고도의 기능과 함께 감성의 융합이 필수이기에 하이 테크의 끝에 있는 사람들은 인문학을 공부합니다. 결국 다시 인간이 시작이자 끝이기 때문입니다. 우리 사회복지사도 마찬가지입니다. 아무리 스마트한 도구를 사용하더라도 결국 우리 사회복지의 시작은 사람이고, 끝도 사람이고, 도구도 사람입니다. 여러분이 AI를 포함한 다양한 도구를 효율적으로 활용하되, 사회 복지 실천에서는 누구보다 인간중심 이어야 합니다.

2. 기술

기술 측면에서는 AI 프롬프트 등 효과적인 사용 기술과 휴먼 터치 기술이 필요합니다. 프롬프트를 잘 사용하고, 휴먼 터치를 잘하기 위해서는 무엇이 필요할까요? 바로 '분석력'과 '사고력'이 중요합니다. AI에 좋은 질문을 입력해야 좋은 대답을 얻을 수 있기 때문에 좋은 '질문'의 시작이 되는 '사고력'이 필수입니다.

생성형 AI는 사람이 하는 단어의 맥락을 이해하는 프로그램이기에 질문을 잘하는 사람이 더 좋은 아이디어를 도출해 내고, 더 좋은 성과, 더 좋은 결과물을 생성할 수 있습니다. 내 생각을 정리하여 좋은 질문을 적을 수 있는 글쓰기 능력과 생성형 AI가 쓴 글을 업무 성격에 맞게 편집하고 수정하는 글쓰기 능력이 필요합니다. 또 AI의 답변을 비판적으로 분석하며 검토하는 자세를 가져야 합니다. 출처와 근거를 찾아 정확한 기록을 남겨야 합니다. 인터넷의 잘못된 편향성과 가짜 정보와 환각 현상에서 나온 AI의 답변일지라도 진짜와 가짜를 구분할 줄 아는 분석력이 있어야 합니다. 앞으로 사고력과 분석력이 우수한 사람이 더욱 선호될 것이고, 나아가서는 '창의력'이 중요해질 것입니다. 생성형 AI가 할 수 없는, 인간만 할 수 있는 일을 찾아 발전시켜야 하기 때문입니다.

AI가 그림을 그리는 시대에 인간이 손으로 직접 그린 그림과 옛 명화는 더욱 가치가 높아질 것입니다. AI가 글을 쓰는 시대에 인터넷에 없는 생생한 나만의 개인적인 경험이 담긴 신선한 글과 유명 작가의 미발표 원고는 귀해질 것입니다. AI가 노래를 만드는 시대에 우리 클라이언트와 한 단어 한 단어 신중히 골라서 직접 만들어 부른 노래가 더 의미 있을 것입니다. AI가 책을 쓰는 시대에 나의 아픔과 상처를 객관적으로 돌아보는 치유하는 글쓰기는 무엇으로도 대체할 수 없는 의미 있는 작업이 될 것입니다.

AI는 광범위한 표절이고 원본이 아니라고 했지요? 나만의 독창성과 고유성이 앞으로 더욱 귀중해질 것입니다.

3. 가치와 태도

AI는 훌륭한 도구입니다. 그렇지만 도구에 정신이 지배당하지 않고,

정신이 도구를 지배해야 합니다. 사회복지사는 가치와 태도 측면에서는 AI로 생겨날 새로운 윤리 문제에 민감성을 가지고 실천과 접목해야 하며, AI로 생겨날 새로운 사회 문제를 인식하고 예방적 접근을 하려는 태도를 가져야 합니다. 새로운 사회 문제나, 새로운 클라이언트의 욕구 발굴하고, 욕구에 맞는 새로운 서비스를 제공하고, 기존 정보를 조합하여 새로운 사업을 만들어 내는 것, 협상과 협력과 사람과 사람을 연결하는 일, 생성형 AI의 확산으로 사회에서 소외되거나 차별받는 사람이 없도록 우리가 할 일이 무엇인지 새로운 사회적 역할을 개척해야 합니다. 또한 다양한 AI 도구를 활용하여 그동안 물리적, 시간적 한계로 시도하지 못했던 1:1 맞춤 서비스와 개별 서비스를 시도해 보려는 태도가 필요합니다. 이제 소품종 대량 생산 시대가 아닌 다품종 소량 생산 시대에 맞게 AI의 도움을 받아 사회복지도 개별, 맞춤 서비스가 되길 기대합니다.

AI와 사회복지의 융합이 더 많이 시도되어야 합니다. AI로 클라이언트의 신체적, 물리적 한계를 넘나드는 도전도 가능하지 않을까요? AI는 특히 장애인 복지에서 많은 기대가 되는 데요, 시각장애인을 위한 안경인 '엔비전 글라스'가 이미 시판되어 판매되고 있습니다. '엔비전 글라스'는 AI에 챗 GPT 기술을 도입하여 장애인이 걸을 때 앞에 나오는 장애물을 AI가 말로 알려주고, 안경 앞에 물건을 들면 물건에 대해 설명을 해주는 안경입니다. 또 애플에서는 '아이트래킹'에 새로운 기능으로 AI를 활용한 '비정상적인 음성 인식'을 선보였습니다. 이 기능을 활성화 하면 어린 아기나 장애 등으로 발음이 안 좋거나 비정

상적인 음성도 AI가 인식할 수 있게 되어 뇌성마비, 루게릭병, 뇌졸중 같은 언어에 영향을 미치는 장애나 질병이 있는 사용자에게 유용할 것으로 기대가 됩니다. 2024년 5월 13일 공개된 챗 GPT-4o는 실시간 음성 대화와 동영상 기능을 활용하여 시각 장애인에게 길 안내를 해주고 앞에 있는 물건을 알려주는 기능도 활용할 수 있게 되었는데요, 여러분이 만나는 클라이언트에게 어떤 AI 기술이 어떻게 접목되면 좋을까요? 우리 사회복지사가 클라이언트에게 필요한 AI 기술 아이디어를 많이 찾아서 AI와 사회복지의 융합 아이디어를 제공하면 AI 시대에도 우리는 '사람'을 도구로 '사람'을 돕는 전문가가 될수 있지 않을까요? 여러분이 사회복지사로 가지는 가치와 태도, 기술, 지식에 따라 앞으로 다가올 사회복지의 모습이 다양해질 것으로 기대가 됩니다. 칼 세이건은 1978년에 쓴 『에덴의 용』라는 책에서 "인간 지능의 역사에서 다음에 다가올 주요 구조적 발달은 지적인 인간과 지적인 기계 사이의 협력이 될 것이다."라고 말하는데요, 2024년 지금 우리를 본 것처럼 아주 정확한 예언이라고 생각합니다.

AI 시대, 우리는 어떤 사회복지 전문가가 되어야 할까요?
마지막 프롬프트를 입력해 봅니다.

프롬프트	나는 사회복지 전문가이면서 글쓰기 전문 작가야. AI 시대, 사회복지사는 전문가가 되어야 할까? 라는 주제로 글을 쓰고 있어. 논리적이고 전문적인 말투로 적어줘

생성형 AI의 답변이 아주 훌륭합니다.

생성형 AI 답변	1. 인공지능 시대의 도래와 사회복지 전문직의 변화 인공지능 기술은 여러 분야에서 작업 효율성을 증가시키고, 새로운 방식의 서비스를 가능하게 만들었습니다. 사회복지 분야에서도 다양한 AI 도구들은 사회복지사가 클라이언트의 필요를 더 정확하게 파악하고, 맞춤형 서비스를 제공하는 데 도움을 줄 수 있습니다. 그러나 AI의 통합은 사회복지사의 역할을 단순화시키거나 축소 시키지 않습니다. 오히려, 사회복지사는 기술적 지식을 통합하고, AI가 제공하는 데이터를 해석하여 인간 중심의 접근을 강화하는 데 필수적인 역할을 하게 됩니다. 2. 전문가로서의 사회복지사 사회복지사는 AI 기술적 능력과 데이터 리터러시를 갖추어야 합니다. 데이터를 수집, 분석, 해석하고 이를 기반으로 의사 결정을 하는 능력은 클라이언트의 복지 향상에 직접 적용될 수 있어야합니다. 또한, 사회복지사는 AI의 사용에 있어 윤리적 판단과 비판적 사고를 발휘해야 합니다. AI가 제공하는 정보를 비판적으로 평가하고, 클라이언트의 권리와 프라이버시를 보호하는 역할은 중요합니다. 사회복지사는 인간 중심의 접근을 유지하며, 클라이언트와의 신뢰를 구축하고 개별적인 욕구에 응답하는 능력을 유지해야 합니다. AI는 도구일 뿐, 사회복지사가 추구해야 할 공감과 이해를 대체할 수 없습니다. 3. 전문가로서의 사회복지사의 미래 AI 시대에 사회복지사가 전문가가 되어야 하는지에 대한 질문에 대한 답은 '예'입니다. 기술의 발전은 사회복지사에게 새로운 도전과 기회를 제공하며, 이를 통해 전문성을 더욱 강화할 수 있습니다. 사회복지사는 AI 도구를 활용하여 서비스의 질을 높이고, 클라이언트에게 더 나은 지원을 제공할 수 있습니다. 그러나 이 모든 것은 강화된 전문성과 지속적인 학습, 윤리적 판단을 바탕으로 이루어져야 합니다.

AI 시대, 우리는 어떤 사회복지 전문가가 되어야 할까요?

여러분의 대답이 궁금합니다.

참고 문헌

스마트워크 바이블. 최두옥. 유노북스.

에이트. 이지성. 차이정원

SMART Brevity. 짐 밴더하이. 생각의 힘

AI 2024 트렌드&활용 백과. 김덕진. 스마트북스

챗 GPT 101. 최동녘. 유노북스

당장 써먹는 AI 프롬프트 사전. 김봉조 외. 도서출판 홍릉

프롬프트 엔지니어. 장민 외. 알투스

박태웅의 AI 강의. 박태웅. 한빛비즈

챗GPT와 글쓰기. 김철수. 위키북스

챗GPT로 대화하는 기술. 박해선. 한빛미디어

챗GPT로 만나는 내일. 김영광. 풀빛

하루만에 끝내는 챗GPT 활용법. 이지스퍼블리싱

창작자를 위한 챗GPT 저작권 가이드. 포르체

신뢰할 수 있는 인공지능. 한상기. 클라우드 나인

생성형 AI 저작권 안내서. 문화체육관광부&한국저작권위원회

챗 GPT 등 생성형 AI 활용 보안 가이드라인. 국가정보원

2023년 대학 교원 연구 윤리 인식조사. 한국연구재단.

생성형 AI 도구의 책임 있는 사용을 위한 권고사항. 한국연구재단

인공 지능 윤리 원칙 분석 보고서. 하버드 법대 버크만 센터. 황선영

▶ 작가소개

전안나

책으로 글로 사람을 돕는 작가 사회복지사

『1천권 독서법』

『기적을 만드는 엄마의 책공부』

『초등 하루한권책밥 독서법』

『쉽게 배워 바로 쓰는, 사회복지 글쓰기』

『초등 6년 읽기쓰기가 공부다』

『태어나서 죄송합니다』

『나의 마흔에게』

『나, 브랜드 사회복지사』

『AI 사회복지 글쓰기』

『사람과 사회를 연결하는 사회복지사』 등 저서 다수

book365@kakao.com

페이스북/인스타/블로그 [전안나]

카카오톡 [전안나 작가]